Grand roman Dominique et c~~omp~~

NIC⊕LAS MÉRIC

Piège au Mexique
Angoisse en Louisiane

Camille Bouchard

À mes bons amis,
Sylvie Roberge et Michel Noël

Je m'appelle Nicolas; j'ai onze ans et je suis québécois. Malgré mon jeune âge, j'ai beaucoup voyagé. Au cours des deux dernières années, mon père et ma mère avaient entrepris de faire le tour du monde. Bien sûr, je les ai accompagnés.

Mon père est ingénieur et travaille pour une firme importante. On lui a offert des contrats ici et là au cours de notre périple. Maintenant que cette aventure est terminée, que nous sommes revenus au Québec, j'ai cru que nous retrouverions un peu de tranquillité. Une vie plus stable et paisible. C'était mal connaître mes parents.

À peine avons-nous regagné le Québec que papa et maman se sont procuré un véhicule récréatif, un VR, comme nous disons plus couramment. C'est une habitation sur roues. Nous voilà de nouveau sur les routes! Sur celles de l'Amérique, cette fois. Puisque notre VR est une maison qui se déplace et qu'il nous transporte avec tous nos biens sur son dos, nous l'appelons «Matamata». C'est le nom d'une tortue vivant en Amérique du Sud.

Comme les anciens explorateurs, j'ai décidé de tenir un carnet de voyage. L'électricité étant rationnée dans Matamata, je néglige alors l'ordinateur portable pour favoriser le crayon et le papier.

Et maintenant: «À l'aventure!»

Matamata roule à vive allure sur un pavé lisse et luisant. Les routes mexicaines sont superbes. Il faut cependant bien prendre garde aux accotements inexistants et aux fossés profonds.

Selon ma mère, pour les conducteurs étrangers, le vrai problème n'est pas la bordure des chaussées, mais les petits criminels qui maraudent à la frontière avec les États-Unis. C'est dû au trafic de drogue. Cela décourage d'éventuels visiteurs américains et canadiens d'utiliser les toutes récentes «autopistas». Les touristes préfèrent prendre l'avion, rester une ou deux semaines dans des stations balnéaires, puis retourner chez eux sans avoir parcouru les villes intérieures.

«Dommage pour eux, affirme mon père, car ces voyageurs manquent la découverte d'un pays fantastique qui regorge d'histoire.»

Piège au Mexique

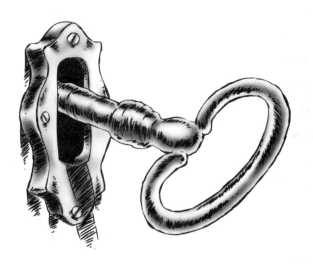

LE DOS D'ÂNE

Mon père et ma mère aiment vraiment l'architecture mexicaine. « Héritée directement des conquérants espagnols du XVIe siècle, se réjouissent-ils. » D'accord. Mais moi, je commence à en avoir marre de visiter des églises et d'autres vieux bâtiments en pierre. Heureusement, mon père a hâte de quitter les grandes villes pour aller se reposer un moment dans une station balnéaire.

Je me réjouis donc du fait que, contrairement à nos habitudes, nous circulions après le coucher du soleil pour arriver plus tôt.

— Un *tope*!

Le cri de ma mère résonne dans l'habitacle de Matamata. Mon père freine à mort.

Puisque je suis assis sur la banquette du coin-repas, la décélération me projette contre la table. Je m'y retiens à deux mains tandis que la ceinture de sécurité me fait mal en m'enserrant les hanches.

— Trop tard! échappe papa. Trop…

BANG!

L'impact provoque un vacarme épouvantable dans le véhicule. Les roues et l'essieu avant détonent, le matériel dans les coffres extérieurs se heurte aux parois, la vaisselle s'entrechoque dans les armoires… Les portes du rangement sous le lit se déploient et un bac en plastique rempli de vêtements passe entre l'évier de la cuisine et moi. Il va frapper une tablette basse séparant les fauteuils à l'avant du VR. Un panneau mobile du garde-manger au-dessus de ma tête, bien qu'il soit solidement retenu par de puissants ressorts, s'entrouvre. Il laisse tomber trois boîtes de céréales sur mon crâne.

— Ah, mon Dieu!

L'essieu arrière de Matamata percute à son tour le *tope* – comme on appelle ici les dos d'âne, les bourrelets sur la route qui servent à ralentir la circulation. Un deuxième vacarme dans les armoires laisse soupçonner que de la vaisselle, bien que qualifiée d'incassable, est… mise en pièces. Un pot de confiture se fracasse sur la table à deux doigts de mon nez, et je peux me féliciter de m'être trouvé plutôt sous les boîtes de céréales.

À cause du dossier de son fauteuil qui masque ma vue, je ne distingue pas grand-chose de papa. Mais je n'ai pas de difficulté à l'imaginer cramponné au volant, s'acharnant à garder Matamata sur la route tandis que le crissement des pneus accompagne ses efforts. Matamata tangue et glisse sur la chaussée comme un bateau dans les vagues d'une tempête.

Par la grande fenêtre de la cuisinette, dans la noirceur du crépuscule, je vois gicler les étincelles que le métal abîmé de l'essieu provoque sur l'asphalte. Ma mère pousse un dernier cri en s'agrippant aux bras de son siège. Je l'imite, ma joue appuyée contre la table, solidement retenu par la ceinture de sécurité. Le véhicule se soulève sur les deux roues côté passager, donne l'impression de vouloir se coucher sur le flanc, mais s'immobilise finalement en sa position naturelle.

Je tourne de nouveau le regard vers l'extérieur dans l'espoir de juger de notre situation, mais je ne distingue que mon reflet catastrophé. Il fait trop noir dehors et ma mère, après avoir bondi de son fauteuil, a allumé.

— Nicolas! Ça… ça va? Tu n'as rien?
Le visage de mon père apparaît par-dessus son dossier. Il ouvre de grands yeux en m'apercevant.
— Oh, bon Dieu! Tout ce sang!
— Mais non, papa, c'est seulement le pot de confiture.

———————◆———————

Ma mère n'est guère de bonne humeur. Et mon père est la cible de son emportement. C'est qu'on nous avait avisés de ne pas rouler au Mexique après le coucher de soleil.
— Ces fichus «topes»! rage maman. On les aperçoit déjà difficilement de jour, alors, le soir...

— C'est bon, j'ai rejoint notre agent d'assurances, dit papa en refermant son téléphone cellulaire. Dès demain, une remorque sera ici pour transporter Matamata jusqu'à un point de services.

— Comment ça, *ici*? gronde ma mère qui n'a pas envie de laisser son mari tirer parti du moindre succès, si petit soit-il. On ignore totalement où nous sommes. Regarde autour de toi! On est dans un coin perdu. Comment va-t-on nous trouver?

En effet, la lune n'éclaire qu'une plaine vide, sans arbres avec des collines piquetées de cactus.

— J'ai transmis les coordonnées du GPS, réplique papa, d'un ton égal, en se penchant sous le véhicule avec une lampe de poche. Le chauffeur de la remorque nous repérera facilement.

— Et il n'y a même pas de village, pas une seule lumière…, poursuit maman qui, décidément, a l'intention d'épancher entièrement sa mauvaise humeur en s'acharnant contre mon père.

— C'est pour ça, d'ailleurs, que ce *tope* m'a surpris. D'habitude, on les rencontre à l'entrée des agglomérations, sans compter qu'ils sont annoncés par des panneaux de signalisation.

— Le voilà, ton panneau!

Avec son pied, ma mère désigne un écriteau par terre. En dépit du faible éclairage, je constate qu'il repose là depuis un bon moment. Les ronces l'entourent et la poussière le recouvre.

— Il y avait peut-être un village ici avant, suppose papa.

Il balaie les environs du regard et tend l'index devant lui.

— On distingue la silhouette de plusieurs bâtiments à moitié démolis, là-bas.

Il pivote ensuite sur ses talons pour tenter de repérer quelque chose de l'autre côté de la chaussée. Il poursuit :

— À moins qu'il y ait un arrêt d'autobus interurbains comme on en a aperçu plusieurs le long de la route. On y rencontrait chaque fois des *topes*. Ou bien, il y a…

— Oh, ça va ! le coupe ma mère d'un ton toujours plus haut. Tu cherches encore à te justifier ! Tu as provoqué cet accident parce que tu t'es entêté à rouler de nuit. Tu tenais absolument à atteindre cette ville… – j'ai oublié son nom – avant d'arrêter ! Tu ne voulais simplement pas…

— Maman…

— Nicolas ! Ne m'interromps pas quand je parle !

— Maman, il y a un monsieur près de toi.

2

LE PIÈGE

Dans les tropiques, la noirceur arrive toujours rapidement. On voit le soleil toucher l'horizon puis, trente minutes plus tard, c'est déjà la nuit. Il n'est pas rare de se faire surprendre sans plus de lumière dans les rues de petits villages mal éclairés... ou sur la route.

Maman sursaute en échappant un cri.

Dans sa colère, elle n'avait pas remarqué la silhouette qui est apparue près d'elle. D'instinct, elle fait un pas de côté en direction de mon père.

— *¿Tienen problema?* (« Vous avez un problème ? »)

L'inconnu a parlé avec une voix un peu vieillotte ou, du moins, tremblotante. Je ne parviens pas à distinguer son visage. À son aspect voûté, ses épaules rondes, ses jambes arquées, je dirais qu'il a… cinquante… soixante ans…

Mon père affirme que c'est souvent embêtant d'estimer l'âge de quelqu'un en se fiant seulement à son apparence. Ici, les conditions de vie sont différentes du Canada, aussi, les gens ne vieillissent pas au même rythme.

— Vous avez percuté le *tope*? demande l'homme en espagnol.

Toujours sous l'effet de la surprise, ma mère reste muette. C'est mon père qui répond :

— En effet. Quelle malchance, n'est-ce pas?

— Je m'appelle Rodrigo, réplique l'inconnu en tendant cinq doigts qui me paraissent crochus dans la lumière lunaire. Je vous trouve au contraire très… chanceux.

Mon père et lui échangent une poignée de main.

— Chanceux? s'étonne maman qui a retrouvé l'usage de la parole. Je voudrais bien savoir en quoi.

Dans l'ironie que laisse transparaître sa voix, je remarque que des accents de colère subsistent. De plus, s'y est ajoutée de l'irritation.

— À cause des *bandidos*, madame.

Ma mère échappe un autre cri. Pas à cause du mot «bandidos», c'est-à-dire «bandits», mais parce que la réponse est venue d'une seconde silhouette qui surgit près du dénommé Rodrigo. Cette fois, il s'agit d'une femme. Aussi voûtée que l'homme. Ses vêtements tombent en de larges tissus autour d'elle.

— Des… *bandidos*? répète papa en tendant, d'instinct, un bras dans ma direction afin que je me rapproche de lui.

Mais je reste à ma place, entre mes parents et les deux inconnus.

— *Aquí está mi esposa, Esmeralda* («Voici mon épouse, Esmeralda.»), fait Rodrigo sans se détourner et en désignant la femme d'un geste vague de la main. Notre fermette est à deux pas d'ici. Et vous? Vous êtes des touristes?

Il ricane avant d'ajouter:

— *Sí*, ça se voit.

Maman nous présente tous les trois puis insiste:

— Vous avez parlé de… de…

— … bandits? complète mon père.

— *Sí*. Vous avez été chanceux de frapper le *tope*…, commence *doña* Esmeralda.

— Sinon vous tombiez droit dans leur piège, achève à son tour son époux.

— Quel piège? s'informe papa en agitant son bras d'un mouvement agacé pour que je le rejoigne.

Je me résigne à lui obéir tandis que le *señor* Rodrigo répond :

— Un barrage sur la route. Ils font ça à l'occasion. Ce sont quatre petits voyous du village voisin. Nous les connaissons bien. Ils se déguisent en policiers, arrêtent des touristes de passage puis les détroussent.

— Des petits voyous, répète *doña* Esmeralda. Du village voisin. Ils sont dangereux, car ils sont armés parfois. Tout le monde les connaît.

— Mais, la police? demande maman. La vraie, je veux dire. Pourquoi n'empêche-t-elle pas ces malfaiteurs d'agir s'ils sont notoires?

Je vois le *señor* Rodrigo relever le menton en haussant les épaules. Peut-être fait-il aussi une moue, mais je ne peux pas en être certain à cause de la pénombre. Il rétorque :

— Oh, la police, vous savez…

— Les agents sont sans doute de connivence avec les *bandidos,* poursuit la *señora* Esmeralda. Ils reçoivent leur *propina* – leur part du butin – et ferment les yeux.

— Quelle bande de corrompus! grince mon père entre ses dents.

— Mais la Sainte-Vierge vous protège, clame la femme en redressant la tête à son tour, et en pointant un index courbé vers le ciel. Elle vous a permis d'éviter le barrage des voyous.

— Sans compter que nous demeurons tout à côté et que nous pouvons vous offrir le gîte pour la nuit.

Ma mère réplique avec une voix que je trouve détendue pour la première fois depuis l'accident.

— Oh, c'est trop gentil, *don* Rodrigo, *doña* Esmeralda, mais nous avons tout le nécessaire à bord de notre maison motorisée. Nous y dormirons et, demain…

— Trop dangereux, la coupe le paysan.

— Si les voyous vous voient par hasard en revenant vers leur village, renchérit son épouse, ils vont rentrer dans votre véhicule et, non seulement vous voler, mais peut-être aussi vous battre, voire… vous tuer!

Mon père, par réflexe, me serre contre lui.

— C'est si risqué que ça? demande-t-il après un moment de flottement.

Du coin de l'œil, je constate que, de son autre bras, il a entouré les épaules de maman. Celle-ci, en dépit de la colère qui l'animait un instant plus tôt, alarmée par les propos des deux paysans, s'abandonne à la poitrine protectrice de papa.

— Eh bien, moi, je le crois, oui, répond le *señor* Rodrigo. Ces voyous sont vraiment capables de tout.

— Pas pour rien que la Sainte-Vierge doit intervenir, précise la *señora* Esmeralda.

— C'est à vous de voir, poursuit l'homme en se détournant et en indiquant visiblement qu'il rebrousse chemin. Peut-être qu'il ne se passera rien, mais peut-être... que vous serez maltraités tous les trois.

Ma mère ne peut retenir une inspiration bruyante qui trahit sa peur. Sa main moite se referme sur la mienne. Bien sûr, elle s'inquiète davantage pour moi que pour elle.

— En tout cas, nous retournons à la ferme, là-bas, dit madame Esmeralda en se tournant à son tour pour emboîter le pas à son mari. Vous êtes toujours les bienvenus si vous choisissez de nous suivre.

— Nous… euh… eh bien, nous…, hésite maman en levant les yeux vers papa.

— Vous avez été vraiment chanceux, répète le *señor* Rodrigo, à mi-voix, tandis qu'il s'éloigne.

— Ce *tope* est un miracle pour eux, murmure la *señora* Esmeralda qui, sans plus s'occuper de nous, marche sur les talons de son époux.

Pendant deux ou trois secondes encore, mon père et ma mère s'observent en silence.

— On y va ? finit par demander maman.

— Bien sûr qu'on les suit ! clame mon père. Tu les as entendus ?

Maman ne réplique rien. Des yeux, elle cherche à percer ce que la nuit nous masque au bout du ruban de route que nous empruntions. Papa ferme à clé la portière de Matamata. Puis, du menton, il nous invite à nous engager à la suite des deux paysans. Ces derniers avancent d'un pas lent, éclairés à contre-jour par une lune nimbée de poussières en suspension.

— C'est heureux que j'aie frappé ce *tope,* dit mon père en nous devançant, maman et moi.

— Heureux ? reprend ma mère, avec une pointe d'agacement revenue dans sa voix.

— Sinon, on tombait sur le barrage des voyous.

Je crois déceler un peu de moquerie dans son intonation lorsqu'il complète :

— J'agis *toujours* pour le mieux.

3

LE POINT ROUGEÂTRE

La fermette se compose de trois bâtiments. Difficile de reconnaître un poulailler, une grange, une étable, un simple hangar ou même... un logis d'habitation. Tous se ressemblent en dimension, en matériaux et en décrépitude. L'odeur de bétail est omniprésente. Pas surprenant que don Rodrigo et doña Esmeralda se mettent à tousser en chœur dès qu'ils traversent la clôture de bois et de barbelés ceinturant la propriété. Ils toussent d'ailleurs si fort que je me dis qu'ils sont sans doute très malades. Des vêtements usés pendent sur des cordes à linge reliant les bâtisses entre elles. Il semble y avoir un bric-à-brac de vieux barils, d'outils, de débris de sciage et de pièces mécaniques dans la cour. Mais l'unique lumière de la lune ne me permet pas de tout détailler.

Tout d'abord, j'ai parié intérieurement qu'il s'agissait de la grange, vu qu'il y a des barreaux de fer aux fenêtres. Puis, j'ai pensé que c'est pour repousser les maraudeurs, les renards, les ours, peut-être, qui sait?

Mais nous nous trouvons bien dans la maison de nos hôtes.

C'est un réduit d'une seule pièce éclairé par deux ampoules faiblardes qui découpent des ombres profondes dans tous les coins. Une table âgée faite de planches inégales trône au centre de ce qui sert de cuisine, de salle à manger, de salon et... de chambre à coucher.

Une paillasse sur le sol, dans un angle du mur, une armoire à moitié écroulée et trois chaises branlantes complètent le mobilier. Ah non! Il y a aussi un escabeau qui permet d'atteindre une sorte de... mezzanine. Le mot est un peu fort, car je vois une simple plateforme, trop étroite et trop basse pour servir à autre chose que du rangement. Sûrement y a-t-on entreposé des trucs, mais l'obscurité m'empêche d'en juger.

Des ustensiles, accrochés sur de vieux clous, pendent entre des tablettes en pente. En équilibre sur ces dernières, je distingue des pots, des plats, des bibelots, une statue de la Vierge, des fleurs en plastique… Quelques photos pieuses sont placardées à différents endroits entre les fenêtres sans rideaux. La lune découpe la silhouette des barreaux de manière sinistre.

Nos chaussures laissent des marques sur le plancher inégal qui n'a sans doute pas connu de balai depuis la révolution mexicaine. En tout cas, ça pue. L'odorat, sans conteste, est le sens le plus sollicité.

— Vous pourrez dormir ici sur le lit, annonce le *señor* Rodrigo en désignant le matelas par terre. Esmeralda et moi, nous irons dans la grange avec les chèvres.

Puis, avant même que mes parents entrouvrent les lèvres pour protester, l'homme débite très rapidement :

— Ne vous en faites pas, nous avons l'habitude.

— On ne va quand même pas passer la nuit dans ce nid à punaises ? dit maman à papa, en français, tout en continuant à sourire aux deux paysans.

— Comment faire autrement ? réplique mon père en imitant ma mère et en conservant sur son visage une expression enchantée.

Je trouve, par ailleurs, qu'il exagère.

Pendant qu'ils échangent de la sorte, je remarque que *doña* Esmeralda jette de furtifs coups d'œil dans un recoin sombre de la pièce, là où de vieux tissus sont empilés près de l'armoire. On dirait des vêtements, des guenilles, des draps, peut-être.

Je m'apprête à détourner les yeux quand je distingue soudain un mouvement au milieu des étoffes.

L'instant suivant, l'immobilité règne à nouveau.

Pourtant, il me semble bien… Je suis même *certain* d'avoir vu luire un point rougeâtre quand le tas de chiffons a bougé.

C'est comme si, dans cet éclairage médiocre, mon regard avait croisé… *un œil qui me fixait!*

Nos hôtes déposent à manger et à boire sur la table, puis nous souhaitent une bonne nuit.

— N'oubliez pas d'éteindre les lumières avant de vous coucher, précise le señor Rodrigo. L'électricité coûte cher.

Après avoir refermé la porte de la maison, il disparaît dans la noirceur en compagnie de son épouse.

Nous voilà seuls dans le logis.

— Je me demande si je n'aurais pas préféré affronter les voyous plutôt que la vermine qui doit grouiller dans ce réduit, affirme maman en plaçant les mains sur ses bras comme pour en retenir les frissons.

Mon père, qui n'est pourtant pas du genre méfiant, ne peut s'empêcher de renifler le pain et la vieille carafe d'eau sur la table. Il affiche une mine de dégoût.

— Une chose est certaine, dit-il, si nous voulons éviter une «tourista», il vaut mieux ne pas toucher à ce qu'ils nous ont servi.

— Mais on n'a rien avalé depuis midi! s'exclame ma mère. Quand je pense que le frigo de Matamata regorge de bons petits plats.

— On peut sauter un souper, mais on ne peut passer la nuit sans boire, rétorque papa. Peut-être qu'en faisant bouillir le contenu de la carafe…

— Tu vois un poêle, toi?

Laissant mes parents à leur discussion, je décide de m'attaquer à ce qui m'a si fortement intrigué, un instant plus tôt: le point rougeâtre dans la pile de tissus.

Je m'approche donc de l'armoire. D'habitude, je traîne une petite lampe de poche dans le sac que j'attache autour de ma taille. Seulement, nous sommes partis si vite pour suivre les deux paysans que j'ai négligé de l'emporter.

— Je ne vois qu'une solution pour nous permettre de manger sans insulter nos hôtes, dit mon père.

Je fixe toujours le tas de vêtements, m'y approche avec prudence…

— Je retourne au véhicule, poursuit papa, je prends ce qu'il nous faut et je reviens tout de suite.

Je fais un pas de plus, tends lentement la main…

— Et les voyous? s'inquiète la voix de maman.

Je suis sur le point de me saisir des premiers bouts d'étoffe…

— Je ferai très vite, réplique papa. Je ne me laisserai pas surprendre.

Je ferme les doigts sur un large morceau de coton graisseux qui pue la poussière humide…

— Ça alors!

C'est mon père qui vient de s'écrier.

— Qu'est-ce qu'il y a? demande ma mère.

— La porte est verrouillée!

J'abandonne le tas de tissus pour me tourner vers mes parents. Malgré l'éclairage médiocre, je discerne bien l'expression ahurie que mon père renvoie à ma mère.

— Comm… comment ça, verrouillée? balbutie cette dernière. C'est une vieille serrure. Elle est rouil-lée, c'est tout. Force un peu.

— Mais puisque je te dis que…

Papa plie les genoux pour tenter de percevoir quelque chose dans l'interstice qui sépare la porte du chambranle, mais il déclare forfait.

— Je ne vois pas grand-chose, avoue-t-il en s'atta-quant de nouveau à la poignée à deux mains, mais… bon Dieu! il est clair que ce fichu verrou est fermé à clé.

— OK, laisse-moi essayer à mon tour, rétorque ma mère qui déteste se sentir impuissante devant une situation qui la dépasse.

Pendant que mes parents s'acharnent contre la porte, je reviens à mon tas de chiffons. Je retrouve le coton graisseux, je reconnais au contact un sac tissé de paille, un carré de mauvaise laine, de la corde, du coton encore, un ballon velu… ou plutôt…

— Aïïïe!

Je retire vivement la main.

J'ai été mordu.

Je venais de toucher… du poil !

Dans la pénombre du recoin, à travers les étoffes qui volent et une chaise qui se fait bousculer, je distingue un animal qui détale !

En fait, non, ce n'est pas un animal, c'est… une petite fille aux cheveux longs !

L'ÉTRANGE PETITE FILLE

J'ai lu dans mon encyclopédie numérique que, dans un lieu mal éclairé, la pupille de notre œil se dilate afin de capter le plus de lumière possible. Avec un angle adéquat et sous un bref rayon lumineux, il est normal d'apercevoir, à travers la cornée, la paroi couleur sang de la rétine.

C'est ce phénomène qui explique que, sur une photographie prise au flash, le sujet se retrouve parfois avec les yeux rouges.

Pour certains animaux qui voient bien la nuit — chats, chevreuils, renards, etc. —, puisque leur physiologie est différente, le reflet sera plutôt verdâtre.

— Qu'est-ce que… ?

Maman et papa abandonnent la porte pour se tourner vers la fillette. Cette dernière court comme une folle à travers la pièce pour atteindre l'escabeau. Sans trop réfléchir, je m'élance à sa suite pour la rattraper.

— Non, Nicolas! s'exclame ma mère. Tu lui fais peur. Arrête, petite! Ne monte pas… *¡No subas en esta escalerilla!*

Mais il est évident que l'enfant n'obéira pas – je dis «l'enfant», car elle est beaucoup plus jeune que moi, au moins de deux ans; ce qui lui donne entre huit et neuf ans. Elle bondit sur les barreaux de l'échelle avec l'habileté d'un chat. En moins de deux, la voilà qui accède à la mezzanine pour se fondre dans l'obscurité du réduit.

Puis, nous ne voyons ni n'entendons plus rien. Tout s'est passé si vite que si ce n'était de la douleur qui envahit ma main, j'aurais l'impression d'avoir rêvé.

Je discerne une très légère rougeur près de mon pouce. Heureusement, ce n'est rien de grave.

— Mais d'où sort-elle, celle-là? finit par lâcher mon père avec une voix exprimant la plus parfaite stupeur.

— Est-elle encore là-haut ou a-t-elle disparu par une ouverture que nous ne pouvons apercevoir d'ici ? s'interroge ma mère.

Tous les deux, les bras ballants le long du corps, le nez dans les airs, ils fixent la pénombre de l'entresol. Je leur trouve une mine un peu niaise, ce qui provoque chez moi deux sentiments contradictoires : l'irritation et le remords de penser de la sorte. Ce sont mes parents, quand même !

Afin de chasser mes mauvaises idées – tout en contrariant un ordre de ma mère –, je m'élance à mon tour sur l'échelle.

— Nicolas ! Non ! Ne… !

— S'il y a une sortie, maman, je vais la repérer ! que je lance par-dessus mon épaule. S'il n'y en a pas, eh bien, je convaincrai cette fille de descendre.

Devant mon implacable logique – à moins que ce soit à cause de ma désobéissance inhabituelle –, maman reste muette. Mon père se contente de froncer les sourcils en plaçant les mains sur ses hanches. Non pas d'agacement face à mon comportement, mais bien parce qu'il est intrigué par la présence et l'agissement de l'enfant.

J'arrive en haut de l'escabeau. Mon premier sens à réagir est l'odorat. Ça pue! Je veux dire, plus fort qu'en bas. Des effluves mélangés de vieille sueur, d'urine et de moisissure.

— Nicolas, sois prudent! lance maman. Ne va pas...

— Je n'y vois rien, que je coupe. Ah, si j'avais ma lampe de poche, je pourrais...

Un mouvement sur ma gauche! Un glissement plutôt, car j'ai perçu davantage un son qu'une image. D'instinct, je cambre le dos vers l'arrière, les mains retenues aux deux montants de l'escabeau. Je plisse les paupières comme si cela me permettait de mieux percer l'obscurité..., je distingue le rebord d'un tapis... une couverture... une tasse... ou plutôt un récipient plus grand avec une anse...

C'est ça qui pue! C'est un pot de chambre!

Il y aussi un autre tapis... ah non, c'est déjà la seconde extrémité du premier... C'est vraiment étroit, cette mezzanine... Au fond, la couverture est ramenée en boule.

Mon cœur bondit! Non! C'est...

— Elle est là! que je crie à mes parents.

Puis, d'une voix plus douce, dans mon meilleur es-pagnol, sans oser grimper sur le palier, je m'adresse à la fillette :

— *No tengas miedo.* (« N'aie pas peur. ») Je ne veux pas te faire du mal.

Silence.

Je continue à parler dans la direction où j'ai repéré la forme mouvante que j'ai d'abord prise pour un fatras de couvertures.

— Je m'appelle Nicolas. Les deux personnes en bas, ce sont mes parents. Ils sont très gentils. Et toi ? Quel est ton nom ?

Rien. Silence et immobilité. J'ai vraiment l'impres-sion de parler à un tas de literies.

Je monte le dernier échelon. Je n'ose pas aller plus loin de peur de…

Bon sang !

En plein ce que je craignais. Je viens de déclencher la panique sur la mezzanine.

La fillette s'ébroue dans son coin et se met à cou-rir à quatre pattes sur la plateforme d'un côté à l'autre, aller-retour, en poussant de petits cris plaintifs.

À cause de l'exiguïté du lieu, elle finit par revenir s'immobiliser là où elle se trouvait, mais en se fondant davantage dans l'obscurité. J'ai le sentiment d'être un chat brusquant un oisillon dans son nid.

— Calme-toi. Tu vas te blesser. Je suis ton ami. Je t'en prie, dis-moi ton nom.
Silence.
— Comment t'appelles-tu ? que j'insiste.
— Nicolas !

Zut ! Est-ce que ma mère ne pourrait pas me laisser faire ?
— Descends, mon grand.
— Maman ! que je réplique en me tournant à demi. Tu ne m'aides pas du tout si tu effraies…
— Conchita.

C'est la fillette qui a parlé ! Je reviens poser les yeux dans le coin obscur de la mezzanine. Je balbutie :
— Con… quoi ? Qu'est-ce que tu…
— *Me llamo Conchita. ¡Déjame sola !* (« Je m'appelle Conchita. Laisse-moi seule. »)

— Con… chita. Tu… Ne reste pas là. Descends nous trouver.

— Non. S'il te plaît, laisse-moi tranquille.

— Explique-moi au moins ce qui se passe ici. Pourquoi nous a-t-on enfermés?

— Je ne peux pas parler. Ne dites pas que vous m'avez surprise. Je n'ai pas eu le temps de me cacher ici quand vous êtes entrés.

Je déteste avoir à m'adresser à la pénombre. Mais je n'ose pas monter sur le palier pour rejoindre la fille. Je crains de l'effrayer tout à fait et de perdre les profits de cette victoire que je viens de remporter. Je me contente de lui demander :

— Mais pourquoi te cacher, Conchita? *Don* Rodrigo et *doña* Esmeralda sont tes parents, non?

— Je ne peux pas parler. Je ne peux rien vous dire. Laissez-moi.

— Mais pourquoi?

— Ils vont me battre encore.

J'entends un reniflement, puis la voix de Conchita qui s'élève de nouveau, un ton plus haut, un brin plus inquiète :

— Pire! Ils vont peut-être me tuer avec vous!

35

5

LE PIÈGE DANS LE PIÈGE

Je redescends de l'escabeau et rejoins mes parents. Tous les trois, silencieux, nous nous consultons du regard, incertains de ce qu'il faut faire. Qui est cette enfant? Pourquoi les deux paysans nous ont-ils dissimulé sa présence? Pourquoi doit-elle se cacher des visiteurs? Pourquoi nous a-t-on si bien accueillis? Mais, surtout, pourquoi nous a-t-on enfermés?

— Tu as des bonbons?

Maman – qui scrute les fenêtres bardées de fer –, papa – qui triture toujours la poignée de la porte – et moi – qui les regarde faire –, nous sursautons. Dans notre recherche d'une issue, nous avions un peu oublié Conchita. Cette dernière s'est approchée de la lumière, sur le rebord de la mezzanine.

Pour la première fois, nous pouvons la détailler. Sa chevelure, large et foisonnante, enveloppe sa tête de mèches grasses et crasseuses. Ses yeux sont immenses dans son petit visage, ce qui la rend ravissante. Malheureusement pour elle, sa beauté est gâchée par la saleté qui macule son nez fin, ses joues rebondies, sa bouche en cœur et son menton percé d'une fossette.

La robe qui l'habille, trop dégoûtante pour servir même de guenille dans une porcherie, est décousue sur une épaule et à la taille. Quand la fillette se redresse un peu, je note également que son vêtement est sérieusement élimé à la hauteur des genoux. Il va sans dire que Conchita est pieds nus.

— Pa... pardon?
— Tu as des bonbons? répète-t-elle.
Instinctivement, je mets les mains dans mes poches.
— Eh bien, parfois, oui, mais pas en ce moment...

— Il y en a dans notre véhicule, dit maman, très rapidement. Si tu pouvais nous ouvrir la porte, nous irions t'en chercher.

Conchita a un léger mouvement de recul. Je remarque alors une petite croix en bois accrochée à une ficelle, qui pend à son cou. L'enfant réplique :

— Non. Pas possible d'aller là-bas. Ils y sont.

— Qui est où ? s'informe papa.

— Mes parrain et marraine, répond la fillette. Mon grand-oncle et ma grand-tante. Présentement, ils sont dans votre voiture en train de tout fouiller.

———◆———

Il y a déjà eu une guerre entre le Mexique et les États-Unis. Il y a longtemps. Les soldats américains étaient habillés en vert et les Mexicains criaient : «Greens! Go home!» («Les Verts! Retournez chez vous!») On a contracté «Greens, go home!» par «Greens, go!», et ensuite par «Gringos». Chez les Mexicains, c'est devenu le surnom de tous les Américains, puis celui de tous les étrangers blancs. Comme nous.

Mon père finit par repérer une pastille à la menthe au fond de la poche de son jean. Il a pris l'habitude, lorsque Matamata circule en montagne, d'amoindrir les effets de la pression dans ses oreilles en suçant une friandise. Avec prudence d'abord, puis en démontrant de plus en plus d'assurance, Conchita descend de son perchoir. Quand elle nous a rejoints, elle reste deux pas en retrait. Mon père doit pencher le corps vers l'avant pour lui tendre le bonbon. La fillette en défait rapidement l'emballage et le gobe, mais sans exprimer de plaisir, ses yeux encore inquiets posés sur nous.

— Le *señor* Rodrigo et *doña* Esmeralda sont tes grand-oncle et grand-tante? demande maman en empruntant sa voix la plus avenante.

Conchita acquiesce en hochant vivement la tête. Elle n'ose pas regarder ma mère, mais me jette de brefs coups d'œil. On dirait qu'elle s'assure de mon accord, de ma complicité. Ce doit être parce que, depuis toujours, elle doit attendre une permission pour faire la moindre chose.

— Et tes parents? s'informe papa.

Menton bas, la fillette lève un bras pour désigner avec l'index un point quelconque au-delà de l'un des murs. Elle répond:

— Enterrés là-bas, au fond du jardin. Il y a eu un tremblement de terre. Notre maison est tombée sur eux.

— Ça fait longtemps ?

Pour toute réplique, elle hausse les épaules. Elle était sans doute trop petite à l'époque.

— Et maintenant, tu vis avec tes parrain et marraine, conclut maman. Mais pourquoi nous ont-ils enfermés ici avec toi ?

Une fois de plus, c'est sur moi qu'elle pose le regard. Ses grands yeux expriment… la détresse.

Non, le mot est un peu fort. Disons, l'incertitude. Une *immense* incertitude. Celle qui nous envahit quand nous ne sommes pas certains de prendre la bonne décision. Et ce qui perturbe Conchita est de savoir si elle doit trahir ses tuteurs pour soulager sa conscience ou, au contraire, se taire pour ne pas s'attirer une punition.

Je le sais. Ça m'arrive à moi quand je désobéis à mes parents.

Mais dans une moindre mesure, ça va de soi.

— Tu as dit que ton grand-oncle et ta grand-tante te battaient ? ose enfin demander maman.

— Souvent, répond rapidement Conchita en plaçant le bonbon contre la paroi intérieure de sa bouche, ce qui fait gonfler sa joue. Chaque fois que je n'obéis pas bien.

— Et qu'ils avaient l'intention de nous… *tuer*? s'informe papa avec un air sévère.

— C'est ce qu'ils font aux voyageurs qu'ils invitent chez nous.

Mon père et ma mère échangent une expression abasourdie. Ensuite, ils froncent les sourcils dans un dialogue muet signifiant «elle nous raconte une sacrée blague, celle-là».

De mon côté, je ne discerne pas d'affabulation dans la mine naïve de Conchita. Je ne reconnais que de la sincérité dans ses prunelles remplies de gratitude pour la friandise que nous lui avons offerte, et pour… notre amitié. C'est donc moi qui reprends l'initiative des questions. Je constate avec plaisir que, cette fois, elle paraît beaucoup moins tendue. Elle fixe ses grands yeux sombres directement dans les miens.

Je m'informe:

— Qu'est-ce qu'ils font exactement aux voyageurs, Rodrigo et Esmeralda?

— Chaque fois qu'un véhicule se brise sur le *tope* – ça arrive de temps en temps –, ils s'empressent d'aller vérifier s'il s'agit de gens qui leur semblent riches. Ils ont dû vous parler du barrage avec de faux policiers ? Des voyous du village voisin ? C'est une histoire qu'ils racontent à tous les coups. Moi, j'ai pour mission de rester cachée ici dans la maison. S'ils reviennent avec une victime intéressante, ils toussent fort tous les deux à l'entrée de la cour afin de m'aviser de préparer la potion.

— Quelle potion ? demande maman qui a perdu sa mine incrédule pour afficher maintenant un air plus intrigué.

— Celle-là.

Conchita se dirige vers une tablette sur le mur et en retire un petit pot à la vitre opaque.

Elle poursuit :

— J'ai pour tâche d'en verser dans l'eau de la carafe, sur les fruits et le pain. Ensuite, je dois aller me cacher là-haut en attendant que les « invités » soient profondément endormis. Puis, après avoir vidé le véhicule des biens qui les intéressent, mes tuteurs se débarrassent de leurs victimes.

— Se débarrassent de… ? fait maman, interloquée. Mais… de quelle manière ?

— En les enterrant dans le jardin. Il y en a plein à côté de la tombe de mes parents.

LES FOUS ASSASSINS

Cette fois, mon père ne rit plus du tout. Surtout, il n'affiche plus cette expression vaguement ironique de celui à qui on ne la fait pas. Les déclarations de Conchita sont trop saisissantes pour croire à une fable. D'ailleurs, tout concourt à les rendre crédibles : l'attitude étrange des hôtes, leur toux incontrôlable à l'approche de la maison, leur insistance à nous laisser le logis, le regard contrarié d'Esmeralda quand elle s'est aperçue que sa filleule, par manque de temps, s'était réfugiée près de l'armoire, la porte verrouillée...

— Y a-t-il une seconde sortie? demande papa à Conchita et en désignant de l'index la serrure fermée à clé.

— Non.

— Tu es sûre?

Elle hausse les épaules et, comme depuis le début, me dévisage au lieu de regarder les adultes.

— Avec le temps, je l'aurais trouvée. Mes parrain et marraine m'enferment souvent quand ils vont au village, de l'autre côté de la plaine.

Mon père inspire bruyamment en posant les poings sur les hanches et en balayant la pièce du regard. On y voit un peu mieux. Pas que l'éclairage soit meilleur, mais nos yeux se sont habitués.

— Si seulement je pouvais trouver…

— Que cherches-tu? questionne maman qui examine encore les barreaux aux fenêtres.

— Un truc… Ça, peut-être…

Il s'empare de l'une des chaises, en considère la solidité, fait une moue puis la repose à sa place.

— Inutile, soupire-t-il. Ce vieux siège est trop pourri. Impossible de défoncer la porte avec ça. Il va se briser dans mes mains.

— Mon Dieu !

Maman vient de se retirer brusquement de la fenêtre. Par réflexe, papa se rapproche d'elle. Il s'enquiert :

— Qu'est-ce qui se passe ?

Ma mère s'éloigne encore plus des carreaux. Mon père la prend par les épaules et elle répond :

— Les vieux fous. Ils arrivent !

***

Conchita a choisi de nous aider.

— Je ne veux plus qu'on tue des gens, me murmure-t-elle à l'oreille. Je sais que la Sainte-Vierge n'aime pas ça. Et puis, je n'aime pas être prisonnière ici. Je voudrais voyager. Comme toi. Nicolas, si tu es mon ami, tu m'emmèneras.

Je lui réponds en chuchotant aussi :

— Ce sont mes parents qui décideront. Mais je te promets, Conchita, qu'ils trouveront pour toi un endroit où tu seras bien. Une autre famille, peut-être.

— Oh, oui ! s'exclame-t-elle ! Une famille où personne ne me battra et où je pourrai aller à l'école.

Mon père se met à ricaner.

— Ce sont des fous assassins, d'accord. Pourquoi pas ? Mais ils sont vieux. Laissons-les déverrouiller la porte, entrer, et nous en viendrons à bout facilement.

Pour une fois, maman trouve que son mari a une idée géniale.

— J'ai toujours des idées géniales, réplique papa en continuant à rire en sourdine. Il te faudra bien l'admettre un jour.

Et il nous pousse ma mère et moi en direction de la paillasse où nous ferons semblant de dormir – ou de mourir. Quand la porte sera ouverte et que les deux vieux s'approcheront de nous, mon père bondira sur eux pour les surprendre et les maîtriser. La perspective de passer à l'action et de remporter une victoire facile l'amuse visiblement.

— Conchita a jeté le pain et vidé la carafe d'eau pour leur faire croire que nous avons tout avalé, glousse-t-il en se glissant tout habillé sous la couverture puante du lit.

— Arrête de secouer cette saloperie ! le réprimande ma mère qui place une main sur mes cheveux comme pour les préserver de la chute éventuelle de puces, de poux ou de toute autre vermine. Déjà que ce matelas doit grouiller de punaises.

J'avoue que rien que l'odeur me donne envie de vomir. Pour éviter que ma tête repose sur la paillasse souillée, j'utilise mon chapeau comme oreiller.

Maman a roulé son gilet en boule.

J'ai une pensée attristée pour Conchita qui, jour après jour, doit vivre dans cette véritable soue à co-chons. Je me redresse un brin pour la regarder. Elle se tient près de la fenêtre d'où elle peut surveiller l'arrivée de ses tuteurs. Lorsqu'elle jugera le moment venu, elle s'empressera de remonter dans son…

— *¡Santa Madona! ¡Ayúdanos!* échappe-t-elle, tout à coup en revenant vers nous.

Je me relève sur mon séant plus rapidement encore que mes parents. Je demande :

— Que se passe-t-il ?

— Mon grand-oncle, répond la fillette, alarmée. Dans ses mains, il porte son gros fusil !

———◆———

Les ricanements de mon père se sont étouffés en même temps que la perspective de remporter une victoire facile. Un gros fusil, ça signifie qu'il ne sera pas si simple de maîtriser son adversaire, si vieux soit-il.

— Changement de plan, lance-t-il tout à coup, la voix troublée, en espagnol. Tous les trois, grimpez vous mettre à l'abri sur la mezzanine, moi, je…

— Comment ça, tous les trois ? dit maman, en français. Pas question que tu affrontes les deux fous tout seul. Je reste avec toi.

— Et moi, papa, tu vas avoir besoin de…

— Nicolas ! Monte avec Conchita, ordonnent à la fois mon père et ma mère, d'une seule voix, et en espagnol de nouveau.

— Mais…

— Grimpez ! gronde ma mère avec une expression qui, cette fois, ne me donne pas envie de désobéir.

J'hésite une seconde à peine, le temps que Conchita me saisisse par la main et m'entraîne avec elle. Nous escaladons l'escabeau à toute vitesse tandis que mes parents se camouflent sous les couvertures.

Déjà, nous entendons la clé jouer dans la serrure de la porte !

— Ils n'ont pas éteint les lumières ! grogne la voix d'Esmeralda.

— Maudits *gringos* ! réplique Rodrigo. Ils se moquent que nous soyons pauvres et que l'électricité coûte cher !

Je risque un œil entre deux lattes de la plateforme, mais m'empresse de retirer la tête quand j'aperçois le *señor* Rodrigo lever le menton vers le plafond. Ses doigts crochus sont cramponnés à un lourd fusil – en fait, une vieille pétoire, mais c'est bien aussi dangereux qu'une carabine récente... surtout à bout portant !

— Oh, Conchita ! Tu peux descendre, petite idiote ! Tu vois bien qu'ils ont leur compte. Ils...

— *¡Dios mío !*

La voix d'Esmeralda résonne en même temps que j'entends le froissement de la couverture se soulever brusquement.

— Le *gringo,* il... !

Je regarde de nouveau entre les planchettes et mon sang se fige dans mes veines. En dessous de moi, mon père bondit pour surprendre *don* Rodrigo avant qu'il puisse se servir de son arme.

Mais Esmeralda s'interpose.

— Bon sang! jure mon père, en se heurtant à la femme et en cherchant à saisir, de ses mains tendues, le canon du fusil. Ôtez-vous de là, espèce de vieille…!

Trop tard.

Le temps que papa repousse la grand-tante, Rodrigo a le loisir de faire deux pas de recul et de viser directement sa poitrine.

— *¡Maldito gringo! ¡Vas a morir!* («Maudit *gringo!* Tu vas mourir!»)

— Non! crie la voix de maman. Non, je vous en supplie!

— Dis donc, fait Esmeralda avant que son mari ait le temps de tirer. Il… il n'y a qu'eux deux…

— Qu'est-ce que tu racontes, vieille folle? grogne Rodrigo en épaulant mieux, le doigt agité sur la gâchette.

Je vois Esmeralda tourner sur elle-même comme une toupie.

— Le gamin! Le gamin n'est pas là!

7

LA LUTTE À CINQ

Ça m'est arrivé souvent. Quand le danger se pointe, avec la mort, sa meilleure amie, mon esprit cesse de fonctionner. En tout cas, mon esprit conscient. Il y a comme une seconde partie de mon cerveau qui se met en branle. Je ne sais pas si c'est ce qu'on appelle «l'instinct de survie», mais je n'ai plus besoin de réfléchir pour réagir.

Mon corps répond par l'action sans que j'aie à songer aux conséquences. Il devient autonome.

Comme maintenant !

Je m'élance dans le vide directement de la mezzanine ! Mon poids est ma meilleure arme.

Dans le bref éclair de conscience qui embrase mon esprit, je me dis que trente-huit kilos de jeune garçon, ça doit faire mal à recevoir sur le crâne. Ça doit faire en sorte de nous laisser échapper un gros fusil.

Le hic, c'est que je n'arrive pas à atteindre le *señor* Rodrigo. Mon élan est brisé. *Doña* Esmeralda, par réflexe, a levé les deux bras vers moi. J'encaisse l'une de ses mains en plein visage comme si je m'étais giflé moi-même. Son second bras se prend dans mes jambes et mon vol plané effectue une mauvaise courbe.

N'empêche, je neutralise la femme en m'abattant de tout mon poids sur elle. Celle-ci s'écroule lourdement par terre, moi par-dessus. Mon assaut permet que, pendant une seconde, le canon du fusil de *don* Rodrigo se détourne de la poitrine de papa pour se tourner vers moi.

Bien sûr, le paysan ne tire pas de peur de toucher son épouse, mais ce moment de diversion offre à mon père l'occasion d'intervenir. À pleines mains, il repousse l'arme vers un coin de la maison, et les deux hommes en lutte disparaissent de mon champ de vision.

Tandis que je me débats pour échapper aux paumes et aux ongles de *doña* Esmeralda, je suis bousculé sur le côté et m'écroule contre le plancher de mauvais bois, le coude endolori.

Maman, les yeux enflammés par la fureur, a bondi à son tour sur la femme. Dans l'instant qui suit, je conclus qu'il vaut mieux que je m'éloigne si je ne veux pas me prendre une monumentale claque perdue.

Après un roulé-boulé, je me redresse vivement, mais, aussitôt sur pieds… me jette de nouveau sur les genoux!

Dans la maison à une seule pièce, comme un véritable coup de canon, vient de tonner le fusil de *don* Rodrigo!

───◆───

Quand je rouvre les yeux, mes mains tremblent tellement que je ne pourrais pas même me gratter le nez. Il y a une âcre et funeste odeur de poudre brûlée. Je m'attends à découvrir plein de sang partout, mon père mort, ma mère, peut-être… ou encore l'un des deux affreux.

Je suis d'abord surpris, puis soulagé, de trouver maman aussi inquiète que moi, puis *doña* Esmeralda qui se protège le visage de ses bras, puis papa et *don* Rodrigo, toujours cramponnés au canon de l'arme.

Dans son coin, percé d'un trou immense, la vieille armoire vomit des lambeaux de bois de sa devanture éclatée.

Puisqu'il s'agit d'un fusil à coup unique, la pétoire est désormais inutile dans les mains du paysan. Ce dernier continue de résister à la poigne solide de mon père, mais en vain. Je vois bien que papa est en train de prendre le dessus sur lui.

— Allez! Lâche ça, misérable! grince-t-il entre ses dents, plus agacé que fâché.

Finalement, *don* Rodrigo, après un ultime regard à son épouse déjà maîtrisée au sol par maman, se soumet à la vigueur de son adversaire. Il abandonne son arme et, en guise de reddition, lève les deux mains devant lui. Il se laisse tomber sur une chaise, à bout de souffle.

— Victoire!

Je sursaute, car ce n'est pas le style de ma mère de se glorifier de la sorte de la défaite des autres. Je mets une bonne seconde avant de reconnaître plutôt Conchita qui descend l'escabeau à toute vitesse. Elle répète:

— Victoire!

Le lendemain, la dépanneuse arrive comme prévu. Au récit de notre aventure, le mécanicien déconseille à mon père d'appeler la police locale.

— Téléphonons plutôt à mon cousin qui est membre des forces fédérales, propose-t-il. Lui, il saura nous envoyer des collègues compétents. Qui sait jusqu'à quel point les autorités municipales fermaient les yeux sur les agissements de ces deux assassins !

— Mais enfin, s'étonne maman, la police locale, c'est quand même la police !

— Madame, fait l'homme en la regardant d'un air indulgent, vous êtes au Mexique.

Pendant que les adultes s'efforcent de réparer – ou du moins de limiter – les dégâts mécaniques de Matamata, Conchita et moi avons la responsabilité de surveiller les tuteurs. Ceux-ci attendent sous un abri de paille, dans l'enclos grillagé des chèvres, tandis qu'arrivent les agents référés par le cousin du mécanicien.

— Nicolas…

Je cesse de m'intéresser au bout de bois que je taille avec mon canif pour lever les yeux sur Conchita.

Celle-ci s'est assise en face de moi et me tend le crucifix qu'elle a retiré de son cou.

— Prends ceci. C'est la seule chose qui m'appartienne vraiment et c'est l'unique souvenir qu'il me reste de ma maman. Elle me l'avait offert quand j'étais petite.

— Mais, enfin, Conchita, je ne peux pas. Surtout si c'est le seul objet qui te rappelle ta mère. C'est trop important pour toi.

Ses yeux immenses se voilent d'une pellicule humide quand elle réplique :

— Maman m'a donné la vie et toi… tu me la redonnes. Avec mon papa, vous êtes les trois personnes les plus gentilles. Aussi, c'est normal que tu acceptes ce cadeau. Il agira comme lien entre ceux qui m'auront le mieux aimée, le mieux aidée.

Elle dépose l'objet dans ma paume et j'ai l'impression qu'il brûle tant il me paraît symbolique.

Pourtant, la croix est ébauchée de façon si rudimentaire qu'elle ne vaut guère plus que le bout de bois que je suis en train de dégrossir.

— Mer… merci, Conchita. C'est un cadeau fantastique.

Je me rends compte soudain que l'image de la fillette devant moi est floue, comme si je l'observais à travers la vitre d'un aquarium.

Je renifle et essuie une larme qui vient d'enjamber ma paupière.

Les carnets d'un aventurier

SURPRISE!

Juste avant de traverser la frontière avec le Mexique,
nous avons fait des achats dans un centre commercial.
Entre autres, l'épicerie. La ville où nous étions se
trouve au niveau de la mer.

Après la frontière, à l'intérieur du Mexique, la
route monte les pentes abruptes de la Sierra Madre
Orientale. Dès la première journée, nous gravissons
plus de 2 000 mètres en altitude.

Le soir venu: surprise! Comme la pression atmosphérique
est moins importante à cette altitude, les pots de
yogourt ont gonflé et font « pssschouiiit » en les ouvrant.
Mon sac de chips ressemble à un ballon. Sans blague! Je
ris en affirmant qu'il pourrait bien m'éclater au visage.

Sac de chips
gonflé par
l'altitude.

Ma mère rit aussi, mais pas longtemps. Dans la douche, une bouteille de rince-crème a éclaté sous la pression et a répandu son contenu sur les murs. Dès que maman appuie sur le bouton d'ouverture de sa bouteille de shampooing, le liquide sort sans qu'elle ait à presser le contenant. Et le jet ne s'arrête que lorsqu'elle referme enfin le bouchon en question. Pendant que papa et moi nous tordons de rire, maman se plaint d'avoir perdu la moitié de son précieux et coûteux produit. Tout se replace le lendemain, quand nous redescendons l'autre versant de la cordillère.

Matamata grimpant bravement les pentes de la Sierra Madre orientale.

Les carnets d'un aventurier

LES ANGES VERTS

Ici, il n'est pas rare de croiser un véhicule
(généralement peint en vert) identifié comme étant
«Angeles Verdes», ou les «Anges verts».
Il s'agit d'une initiative du gouvernement mexicain
offrant un service gratuit de dépannage routier. Les
mécaniciens au volant de ces dépanneuses accomplissent
parfois de véritables miracles. Par exemple, une fois,
le radiateur de Matamata s'est mis à couler. Eh bien,
un Ange vert est arrivé rapidement sur les lieux et a
réparé la fuite avec... du poivre et un œuf!
Bien sûr, quand ils nous dépannent, et même si leurs
services sont gratuits, les Anges verts apprécient les
pourboires.
Ces mécaniciens, cependant, en dépit de leur incroyable
débrouillardise, ne peuvent pas faire grand-chose pour
une maison motorisée dont un essieu a été faussé suite
à un heurt violent avec un «tope».
Pas vrai, papa?

Non, papa, cette fois tu n'arriveras pas à réparer Matamata tout seul! Même les Anges verts ne pourront pas t'aider.

Les carnets d'un aventurier

LES « TOPES » ET « VIBRADORES »

Au Mexique, on contrôle sérieusement les excès de vitesse. Pour obliger les conducteurs à respecter les limites prescrites, on utilise les dos d'âne, ces fameux « topes » dont Matamata a fait les frais.

Des segments de route sont parfois couverts de petites boules en métal, appelées « vibradores », qui secouent les véhicules au passage et rappellent aux chauffeurs de ralentir.

Il y a aussi des fossés profonds, de longs tronçons de voie aux accotements inexistants, des « vados » — des trous creusés exprès dans le macadam...

Bref, au Mexique, les conducteurs ont intérêt à ne pas rouler trop vite.

Une moto est mal garée? Le policier ôte sa plaque, tout simplement. Pour la récupérer, le conducteur doit aller au poste de police et payer sa contravention.

Mon père est tout en sueur. Rouler sur le long, très long pont de la «Pontchartrain Expressway» lui donne un peu la frousse. Sur une dizaine de kilomètres, un interminable ruban de ciment se déroule au milieu d'une nappe d'eau gigantesque. Pendant un moment qui me paraît infini, nous n'apercevons aucune rive et avons l'impression d'être sur un bateau. C'est assez hallucinant.

De plus, avec les camions qui nous dépassent, les vents de côté, Matamata est violemment secoué. À chaque instant, nous avons peur que notre brave motorisé se renverse sur le flanc.

Heureusement, il n'en est rien et nous arrivons sains et saufs à La Nouvelle-Orléans, la plus grande ville de l'État de la Louisiane.

Angoisse en Louisiane

1

LE COUSIN ÉNERVANT

Au restaurant, je demande un « Gator's Poboy ».
— Il a l'air bon ton sandwich, dit maman. J'en prendrais
bien un, moi aussi. Il est à quoi?
Je réponds:
— À l'alligator.
Ma mère plisse le nez et réplique:
— Je vais commander autre chose, finalement.

Il m'énerve.

Mon cousin Philip m'énerve.

— Tu vois, Nicolas, m'explique-t-il avec ses grands
airs, la ville de La Nouvelle-Orléans existe depuis le

début du XVIIIᵉ siècle. Ce sont des Français qui l'ont fondée en l'honneur du duc d'Orléans qui, comme moi, s'appelait « Philippe ».

Il a treize ans. Mais il joue à l'adulte, commente tout, a réponse à tout…

— C'est fou ce qu'il est brillant, le fils de ma sœur, échappe maman en discutant avec papa. J'aimerais bien que Nicolas possède la moitié de sa culture.

Nous sommes dans la plus grande ville de la Louisiane, un port qui débouche sur le delta du fleuve Mississippi. Nous nous baladons à pied dans les rues du Vieux Carré, un quartier nommé « French Quarter » à cause de ses origines françaises. Je suis accompagné de mes parents… et de mon cousin âgé de deux ans de plus que moi, qui s'est proposé comme guide pour nous faire visiter les environs.

Je pense qu'il se plaît surtout à étaler son savoir pour épater la galerie… et qu'il a envie de se promener à bord de Matamata. Notre brave VR, pour l'instant, est stationné dans un camping à l'entrée du quartier, en plein centre-ville.

Depuis deux jours, nous étions chez ma tante dans l'agglomération voisine. Celle-ci y vit depuis des années avec son mari américain – son *riche* mari américain – et leurs trois fils. Philip est l'aîné. Nous sommes repartis hier. Aujourd'hui, nous visitons La Nouvelle-Orléans et, en fin d'après-midi, nous emmènerons le cousin énervant chez un ami à Mandeville, au nord de la cité, de l'autre côté du lac Pontchartrain.

Ma mère s'émerveille en s'exclamant chaque fois qu'elle découvre un bâtiment à l'architecture originale ou qu'elle croise un habitant pittoresque. D'habitude, ça me fait rire, mais pour le moment, ça m'agace, car je sais que la présence de Philip la rend plus expressive.

— Ici, ma tante, si vous regardez à droite, propose «l'achalant», vous pouvez admirer les magnifiques balcons en fer forgé. Voyez comme ils sont superbement décorés avec toutes ces fleurs…
— Oh, Philip, c'est ravissant! lance maman, d'une voix aiguë.

Mon père et moi échangeons un coup d'œil, les sourcils froncés. Au moins, je ne suis pas seul à être exaspéré par le cousin. Peut-être que son physique de sportif, sa belle peau bien tannée, ses dents parfaitement alignées et brillantes, ses grands yeux noirs, sa tête d'acteur hollywoodien, puis sa jolie chemise griffée au nom d'une vedette de la musique pop, son chandail jeté sur ses épaules, son jean impeccable et ses mignonnes chaussures de sport marron, rendent ma mère indulgente.

Peut-être.

J'ai oublié de mentionner que le cousin prend également un vif plaisir à étaler le niveau de richesse de sa famille fortunée.

L'ambiance de la rue Bourbon, en plein cœur du Vieux Carré, est quand même formidable. Il y a des gens partout, des passants, des touristes, des amuseurs publics, des vendeurs… De la musique s'élève de tous les commerces.

— Vous savez que le jazz est né à La Nouvelle-Orléans, ma tante?

— Tu entends, Nicolas? Écoute bien ton cousin. Il peut t'apprendre tellement de choses.

De la musique s'élève de tous les commerces, je disais, et la cacophonie qui en découle contribue à créer une atmosphère très réjouissante. Il y a bien quelques voitures çà et là, mais le trafic n'est pas si important, et les piétons règnent en maîtres. Aux vitrines de certains magasins, on retrouve des masques bizarres, des poupées trop maquillées, des bougies, des colliers étranges, des affiches illustrant des…

— Ici, le culte vaudou est très présent…

— Nicolas, écoute ton cousin.

… À certains balcons, je vois flotter des pavillons noirs à tête de mort, des drapeaux de…

— Pirates! clame Philip en éclatant de rire. Vous savez, ma tante, le fameux Jean Lafitte opérait dans les eaux à l'embouchure du Mississippi au début du XIXe siècle. C'est même grâce à lui si les Américains ont gagné la bataille de La Nouvelle-Orléans.

Mais qu'est-ce qu'il m'énerve!

— Oh! Allons au café, là-bas! lance Philip en attrapant ma mère par le bras. Vous devez absolument goûter aux beignets, l'une de nos spécialités locales.

— Oh oui! Bonne idée!

Et voilà maman qui traverse la rue appuyée à «l'achalant» sans même penser à nous demander notre avis à mon père et moi.

Non, décidément, le cousin, je ne peux pas le supporter.

« Ici, on est fiers de parler français », annonce
l'affichette à la porte du commerce.
— Bravo ! s'exclame maman. Allons acheter quelque
chose, rien que pour entendre leur accent charmant.
À l'intérieur, pourtant, l'employée ne comprend
que l'anglais.
— Y un poco español (« Et un peu l'espagnol »),
précise-t-elle.
Ma mère ressort déçue tandis que mon père rit
aux éclats.

— On ferme !

— Co… Comment, on ferme ? s'étonne ma mère
en anglais à l'attention du garçon qui circule entre les
tables, à l'extérieur du café. On a à peine eu le temps
de s'attaquer à nos beignets. Et il n'est pas encore
quinze heures.

— Navré, madame. C'est la faute à Eugenia.

Je regarde autour de nous et aperçois d'autres
clients qui sont priés eux aussi de quitter les lieux
pour permettre aux employés de ramasser les couverts sur les tables.

— Eugenia? Qui c'est, celle-là? demande maman, avec cette intonation qui la caractérise quand l'irritation commence à la gagner. La patronne?

— Non, madame. C'est un ouragan.

— Un ouragan? s'étonne Philip. Pas du tout, c'est une vulgaire tempête tropicale qui n'est même pas supposée nous frôler. Il est prévu qu'elle survolera les Antilles et qu'elle s'essoufflera aussitôt. Elle provoquera de la pluie demain et c'est tout.

— Désolé de te décevoir, mon bonhomme, riposte le serveur avec une expression dédaigneuse, mais on vient d'émettre à la radio un avis de danger. Eugenia, contre toute attente, a pris de la force – ça arrive souvent en climatologie parce que ce n'est pas une science exacte. Je n'y peux rien et toi non plus. Au lieu de se contenter de faire pleuvoir sur la Louisiane, la dépression viendra nous frapper avec violence, et ce, dès ce soir. Alors, si tu tiens à ne pas abîmer tes jolies chaussures, je te conseille… et à vous aussi, monsieur, madame, garçon, de regagner votre chambre d'hôtel au plus tôt.

— Mais nous sommes en véhicule récréatif! rétorque mon père en se levant. Nous sommes… Oui, bon, enfin, ce n'est pas votre problème.

— Quand même, monsieur, réplique le serveur, si vous voulez mon humble opinion, dépêchez-vous de récupérer votre motorisé et de quitter la ville. J'ai bien peur qu'avant la nuit, déjà, toutes les voies soient bloquées. Et puis, à La Nouvelle-Orléans, les risques d'inondation sont très élevés. Vous vous exposez à vous retrouver, non plus avec un véhicule récréatif, mais avec un bateau.

2

UN PONT TROP LONG

On a trouvé le «Pontchartrain Expressway» trop long? Ce n'est rien comparé au «Lake Pontchartrain Causeway», qui étire plus de 38 kilomètres de ciment en suspension à cinq mètres seulement au-dessus de l'immense lac qui baigne le nord de La Nouvelle-Orléans.

— Houlala! C'est complètement bloqué! s'exclame maman.

Une ligne interminable de véhicules, pare-chocs contre pare-chocs, redessine le tracé bien droit du pont au-dessus du lac Pontchartrain. Les éclats rouges des feux de freinage brillent sans cesse, pareils à des étoiles. On dirait une constellation qui présage des pires malheurs.

— Je déteste me retrouver au-dessus de l'eau, comme ça, grogne papa à mi-voix.

Ceinture bouclée, je suis assis en face de Philip sur la banquette en « U » du coin-repas. Tous deux, nous observons l'extérieur par la grande fenêtre de côté. Le parapet du pont est si bas que les voitures à notre gauche le masquent facilement. Plus que pour l'« Expressway », le « Causeway » donne vraiment l'impression que nous sommes en train de naviguer sur les flots plutôt que de rouler sur le dur.

— On aperçoit très bien la tempête approcher, dit Philip, qui est placé dos à mon père – donc, dos au sens de la marche du véhicule. Regarde, Nicolas.

J'ai envie de l'ignorer, mais je constate dans ses tics qu'il fait des efforts pour cacher son inquiétude, et cela m'intrigue. Je me penche vers la fenêtre pour voir à l'arrière… et je ne peux retenir une exclamation.

— Ça alors ! C'est énooorme !

Non loin, un gigantesque nuage noir, aux bords bien définis, enfle lentement et, pareil à un couvercle géant, s'apprête à se refermer sur les gratte-ciel de

La Nouvelle-Orléans. Déjà qu'un voile gris masque le soleil et l'azur, bientôt nous aurons l'impression que la nuit est tombée.

Par le rétroviseur du côté passager, maman observe la progression de la tourmente qui avance beaucoup plus rapidement que nous.

— Ce pauvre Matamata n'a jamais si bien mérité son nom de tortue, échappe-t-elle, un trémolo dans la voix.

— Ne vous en faites pas, ma tante, cherche à la rassurer Philip qui, en dépit de l'air décontracté qu'il se donne, ne peut empêcher sa lèvre inférieure de trembloter. Ces phénomènes climatiques nous sont familiers, ici, et cet ouragan ne me paraît pas bien gros.

— N'empêche qu'un bon vent de côté sur les murs du motorisé risque de nous envoyer valser par-dessus le parapet, marmonne papa qui, contrairement à son habitude, émet une opinion qui pourrait nous alarmer, maman et moi.

Je pense que lui aussi a envie de rabattre un peu le caquet à monsieur-je-sais-tout.

— Voilà la pluie !

Ma mère s'est exclamée comme si nous devions craindre d'être emportés. Il faut avouer cependant que l'averse arrive d'un seul coup, et avec une force surprenante. Le fracas des gouttes sur le toit devient rapidement assourdissant et il est nécessaire d'élever la voix pour bien se faire comprendre.

— On ne voit pas plus loin que la deuxième voiture en avant de nous, crie papa. On se croirait devant une cataracte.

J'étire le cou et, en effet, même les feux de freinage se fondent dans le rideau aqueux. Je colle mon nez sur la fenêtre à côté pour mieux distinguer dehors.

Je lance :

— Wouaah ! C'est hallucinant !

Nous baignons dans une purée grise, si épaisse que le véhicule qui nous borde – un gros quatre-quatre – apparaît flou et semble s'évanouir dans le néant.

— Un jour, commence mon cousin qui feint de ne pas s'intéresser à ce qui se passe à l'extérieur, lors d'un très violent ouragan, je suis sorti pour…

Vlam ! Matamata est secoué si brutalement que je crains qu'il se renverse.

— Bon sang ! s'exclame papa en se cramponnant à deux mains sur le volant. Qu'est-ce que… ?

— C'est une bourrasque ! répond maman en interrompant sa question… et en se retenant elle-même aux accoudoirs de son fauteuil.

Je m'agrippe à la table de la cuisinette, le cœur battant. Je me sentirais peut-être moins effrayé si je ne voyais pas le teint de Philip pâlir à vue d'œil en face de moi. Déjà que la pluie qui tombe sur le toit fait entendre une vraie pétarade, voilà que le mugissement du vent se met de la partie. L'atmosphère se transforme bientôt en une clameur qui n'en finit plus.

— Hé! Que fait-il, celui-là? s'étonne mon père en parlant de la voiture en face de Matamata.

Par réflexe, une fois de plus, j'étire le cou pour voir par le pare-brise. Du véhicule qui nous précède, je ne distingue que les feux arrière qui tanguent à gauche, à droite, à gauche… On dirait un navire sur les vagues. Je suis si intrigué que je ne remarque pas que le motorisé lui-même s'agite sur ses roues.

— Oh, mon Dieu! s'écrie tout à coup maman. Là-bas! Regardez!

Une brève ouverture dans le rideau de pluie nous permet, pendant une seconde, d'apercevoir les lumières des sept ou huit voitures qui nous devancent. En fait, elles ne sont plus face à nous, mais à l'écart sur la gauche. Comme si la route faisait une courbe, trente mètres plus loin.

Mais la route *ne peut pas* faire une courbe, nous sommes sur un pont en ligne droite!

Nous voilà de nouveau bousculés par une forte secousse et je me penche sur la table pour m'y accrocher. Devant moi, Philip m'imite et, pendant une fraction de seconde, je me demande si je suis aussi vert que lui.

— *Almighty God, have mercy for…*

Mort de peur, il se met à prier dans la langue qui lui est la plus familière.

— Mais enfin, ce n'est pas possible! s'exclame maman. Une simple tempête ne peut pas démolir un pareil pont!

— C'est un tremblement de terre! corrige papa. Pas qu'un simple ouragan.

Je m'apprête à crier que le hasard fait parfois vraiment mal les choses, mais, aussi impossible que ça puisse paraître, j'aperçois tout à coup l'essieu arrière de l'automobile devant nous. On dirait qu'elle s'envole! Je m'écrie donc:

— Le vent l'emporte!

Ce que je ne comprends pas encore, c'est qu'il s'agit plutôt de Matamata qui tombe.

3

HUIT TONNES
EN CHUTE LIBRE!

On dirait que mon cousin Philip s'efforce de me rejoindre pour m'embrasser. En fait, il est retenu par la ceinture de la banquette et agite les bras dans l'espoir de se raccrocher à la table ou au dossier du banc. Il finit par se saisir de la poignée de l'armoire en surplomb au-dessus du coin-repas.

Ma mère et mon père crient d'une seule voix:

— Aaaaah!

La voiture devant nous disparaît, comme avalée par l'orage, mais c'est que notre pare-brise est maintenant pointé vers le ciel. La pluie tambourine sans merci contre la vitre. Les essuie-glaces, bien que poussés au maximum, ne parviennent pas à dégager la plus étroite ouverture.

Aucun de nous n'a besoin d'un dessin pour comprendre que la structure du pont a lâché en dessous des huit tonnes de Matamata.

Dans l'angle nouveau pris par le motorisé, je m'enfonce dans le dossier de la banquette de la même façon que mes parents se retrouvent presque couchés dans leur fauteuil. Un ordinateur portable que nous avions posé sur le tableau de bord tombe en glissant sur le plancher vers l'arrière du véhicule. J'entends le fracas qu'il produit en heurtant la base du lit.

On perçoit le tapage de la vaisselle qui cahote dans les armoires et des objets de toutes sortes qui se brisent dans la salle de bain. Je présume que la porte de la pharmacie s'est ouverte et que les divers pots et tubes qui s'y trouvaient ont été projetés dans la pièce.

Une plainte assourdissante de métal contre métal – ou de métal contre béton – enterre la rumeur de la tempête quand le dessous du véhicule glisse sur le tablier du pont. J'entends un grincement strident suivi d'un crissement… puis Matamata flotte dans le néant.

Je ferme les yeux et attends le choc qui se produira quand le derrière du motorisé touchera la surface de l'eau. Il me semble que le coup sera moins difficile à supporter les paupières closes – surtout que, lorsque je les ouvre, j'ai devant moi la mine catastrophée, la bouche béante et les pupilles folles de mon cousin Philip !

— Nous sommes suspendus.

J'ai besoin d'une éternité pour comprendre les trois mots prononcés par mon père : «Nous sommes suspendus.» On ne distingue toujours rien par les vitres martelées de pluie, mais je suppose qu'il a raison. Le délai pris par Matamata pour tomber est trop long. Nous aurions dû toucher les flots depuis plusieurs secondes. La chaussée n'est pas si élevée au-dessus du lac.

— L'essieu avant doit être retenu par une structure du pont, émet papa.

Maman et lui échangent un regard à la fois soulagé et inquiet.

— Pour combien de temps ? demande-t-elle.

Mon père se pince les lèvres sans répliquer.

Comme s'il devait connaître la réponse, c'est vers Philip que mes deux parents tournent la tête. Mon cousin tomberait sur moi s'il n'était pas maintenu par sa ceinture, les deux mains cramponnées à la table. Il garde les yeux fermés et continue de prier en anglais.

— *Almighty God, have mercy for me. Almighty God, don't let me die with no…*

— Philip ! crie mon père. Ho ! Philip !

Mon cousin sursaute en piaulant comme un oiseau. Il ouvre les yeux. Je vois de grosses gouttes de sueur couler le long de ses tempes.

— Nous sommes suspendus, répète papa.

———◆———

C'est quand même terrifiant de ne rien voir ni rien entendre. Pas qu'on soit aveugles ou sourds, mais imaginez un univers recouvert d'eau avec le vacarme du vent et de la pluie battante. Ajoutez à cela l'inquiétude, à tout instant, de tomber en chute libre puis de se retrouver baignant au milieu de vagues déchaînées.

— Il y a des voitures dans le lac !

Ma mère a porté une main à sa bouche, les yeux agrandis d'horreur. Elle regarde par la fenêtre du côté passager.

À mon tour, entre deux rafales, j'aperçois des silhouettes floues de véhicules à demi immergés. Peu à peu, ils sombrent au milieu des flots. Certains ont encore leurs feux allumés et s'enfoncent pareils à des sous-marins en plongée.

Au pied d'un pilier de la chaussée, je distingue un homme – ou une femme? – étreignant la structure de béton dans l'espoir d'échapper aux assauts des lames du lac. La tempête efface son image et je ne le retrouve plus. Peut-être a-t-il été emporté par la fureur de l'eau.

Je note l'angle inhabituel d'une partie du pont plus loin. Elle se fond directement dans le lac. Je commence à me demander si ce n'est pas moi qui fais erreur, puisque Matamata repose lui-même selon une inclinaison non naturelle et cela peut fausser ma perception. Mais je finis par reconnaître l'autre extrémité du tablier qui pointe vers le ciel, la chaussée coupée nette.

— Sortons d'ici!

L'ordre de papa nous secoue, maman et moi, alors que nous avions encore le nez collé à la glace à observer les scènes d'horreur.

— Mais… mais comment? s'informe ma mère en regardant vers la porte qui ne peut s'ouvrir que sur les flots en contrebas.

Mon père désigne la vitre du côté conducteur, puis le pare-brise.

— En passant par cette fenêtre, et en prenant ensuite appui sur le devant du véhicule.

— C'est de la folie! proteste maman. On va glisser, tomber! On va…

Mon père saisit les deux bras de sa femme dans ses mains pour la calmer. Usant d'un air d'autorité qu'il n'affiche que dans les situations graves, il dit:

— La pire folie serait de demeurer à bord tandis que Matamata, à tout instant, risque de se décrocher de son support et de plonger dans l'eau. Là, nous n'aurions aucune chance de nous en tirer. Au contraire, en grimpant sur le pare-brise, il est possible…

Il désigne une saillie de ciment qui, par intermittence, apparaît au-dessus de nous. Il poursuit:

— Il est possible, oui, d'atteindre ce pilier et de monter nous réfugier sur le pont. Du moins, sur ce qui en reste.

Dans un état de stupeur, ma mère fixe son regard sur mon père, puis le dirige ensuite vers la grande vitre avant, et le ramène vers mon père…

— *Almighty God, bless me for all my…*

Je repousse la main de mon cousin qui, les paupières toujours closes, vient d'agripper la manche de ma chemise. Je m'exclame en direction de mes parents :

— Bonne idée ! Ce sera facile d'escalader cette colonne de ciment. J'y vais le premier.

— Non, c'est moi ! intervient aussitôt ma mère qui, devant la détermination de ses deux hommes, accepte enfin la solution.

Elle déboucle sa ceinture et poursuit :

— Nicolas, tu m'accompagnes. Philip…

Elle se tourne vers son neveu qui prie sans interruption, l'esprit fermé à ce qui se passe autour de lui.

— Philip !

La voix de maman tonne dans l'habitacle, enterrant vent et pluie.

Mon cousin se tait sur-le-champ, ouvrant des yeux alarmés. Il me regarde puis tord le cou pour observer mes parents… On dirait qu'il nous aperçoit pour la première fois. Je note presque avec joie que ma mère, dans son expression, n'a plus aucune admiration pour lui.

— Tu as compris ce que nous voulons faire? demande-t-elle d'un ton impatient.

— Ou... oui, ma tante.

— En ce cas, allons-y!

4

DANGEREUSES ACROBATIES

J'ai toujours été surpris de constater que, sous une averse tropicale, la pluie est tiède, presque chaude. Qu'importe! Je déteste l'eau et j'ai horreur d'être mouillé. Quand je serai adulte, je m'installerai dans le désert.

Dès qu'on ouvre la fenêtre du côté chauffeur, la tempête s'engouffre dans l'habitacle avec furie. Mon père se lève de son siège pour libérer le passage. Comme entendu, ma mère est la première à s'aventurer hors de Matamata. Sitôt a-t-elle réussi à se glisser sur le pare-brise que je détache ma ceinture de sécurité. Je m'extirpe de la banquette en m'agrippant à la table, puis au siège de Philip, jusqu'à ce que mon père m'empoigne par le bras pour m'aider à accéder à la fenêtre.

— Va ! m'encourage papa en improvisant avec ses mains un appui pour mes pieds.

Je sors à mon tour. Le vent souffle si fort que ma respiration est coupée pendant une bonne seconde. Je plisse les yeux à cause de la pluie, me retiens au rétroviseur de côté, puis j'aperçois les doigts de maman à un pouce de mon nez. Je les saisis et elle m'aide à m'élever sur la surface glissante du pare-brise.

— Cramponne-toi aux barres de métal ! hurle-t-elle dans la tourmente en me désignant des tiges tordues qui surgissent du béton.

J'obéis et me sens rassuré par la solidité de mon support. J'en profite donc pour pencher le nez vers le bas afin d'évaluer notre position. Ce que j'en déduis n'est guère encourageant.

Le lac agite des vagues furieuses à trois mètres du pare-chocs arrière de Matamata. Celui-ci se balance, l'essieu avant retenu par une poutre d'acier déformée qui s'est improvisée crochet. Combien de temps la structure peut-elle tenir ainsi ? Aucune idée. Il me semble qu'il ne faudrait qu'une bourrasque guère plus puissante que les autres pour envoyer le tout valdinguer dans le Pontchartrain.

— Je grimpe là et t'aide ensuite, d'accord ?

Maman me désigne le sommet d'une colonne que le tablier effondré a libéré. Son intention est de se suspendre à une tige voisine puis de se hisser à la force des bras jusqu'à cet emplacement. De là, elle pourra atteindre la section de chaussée épargnée par le tremblement de terre.

Tandis qu'elle entreprend son ascension, je regarde à mes pieds. Je vois mon père émerger à son tour de la fenêtre, la mine effrayée de Philip derrière lui. Par un simple coup d'œil, papa jauge la situation et, à son expression, je comprends qu'il en arrive à une conclusion identique à la mienne : le temps presse.

Il me rejoint à l'instant où maman parvient au sommet.

— Ça va ? me demande-t-il en s'accrochant à la même tige que moi.

J'acquiesce en hochant rapidement la tête.

— Monte retrouver ta mère pendant que je m'occupe de Philip.

Je lève le nez pour noter la main de maman de nouveau tendue vers moi. Je m'élève sur le bout des orteils pour l'atteindre, mais, sur la surface trop glissante du pare-brise, je perds pied et reste suspendu d'une seule poigne à la barre de métal. Ma mère pousse un cri d'effroi. Par chance, j'ai repris appui sur le véhicule avant même que papa ait eu besoin d'intervenir.

— Philip, hurle mon père en direction de la fenêtre. Viens nous retrouver par toi-même. Je dois aider Nicolas qui n'est pas assez grand.

Deux paumes puissantes me saisissent à la taille et je m'envole sur près d'un mètre pour agripper, à la fois, les doigts de maman et le rebord de la colonne. L'étreinte au-dessus de ma ceinture se relâche aussitôt, car, je le sais, mon père doit rapidement se raccrocher à la tige de métal.

À la force des bras, je me hisse sur le pilier puis rampe avec ma mère jusqu'au sommet du tablier. Avec soulagement, nous atteignons la surface crevassée de la chaussée.

Sans nous consulter, mais avec la même idée, maman et moi, étendus à plat ventre, tendons les bras vers le bas afin d'aider mon père et Philip à nous rejoindre. Nous échappons un hoquet de surprise simultané.

Ni l'un ni l'autre n'est visible. Le pare-brise est désert.

Dans une exclamation d'horreur, ma mère s'écrie :

— Ils sont tombés !

Il est difficile de vous décrire l'impression glacée qui vous saisit lorsque vous constatez tout à coup qu'un drame s'est abattu sur un être cher. Quand je n'aperçois que le vide, là où devrait se tenir mon père, la pluie chaude qui me martèle le dos devient soudainement polaire. Mon cœur arrête de battre, se déchire et répand en moi des milliards d'aiguilles qui me transpercent de l'intérieur.
C'est terrible comme sensation.

— Ils sont retournés dans l'habitacle ! que je lance à ma mère, soulagé.

À travers les écrans mouvants du déluge, en dépit de la pénombre causée par la tempête et le jour déclinant, je discerne de l'agitation derrière le pare-brise.

— Co… comment ça, ils sont retournés ? s'étonne maman.

— Je ne sais pas. Peut-être que Philip a peur de sortir. Regarde ! On les distingue en train de discuter dans le coin-repas. Papa se retient à la table pour ne pas tomber.

— Quel grand peureux que ce…

Ma mère s'interrompt momentanément en songeant qu'elle s'apprête à proférer une énormité à propos du fils de sa sœur. Elle se reprend :

— Il faut avouer que nous sommes dans une situation bien périlleuse…

Puis, les dents serrées, elle ajoute :

— N'empêche que ce n'est pas le temps de discuter. Matamata risque de se décrocher à tout instant.

Elle se met alors à hurler :

— Les gars ! Ho ! Les gars ! Sortez de là, quoi ! Sortez de ce… ! Mon Dieu ! Ils se battent !

Pendant une seconde, je crois que ce sont les bourrasques qui faussent la vision de ma mère. Mais force est d'admettre qu'elle a raison ! À mon tour, je distingue bel et bien Philip repousser mon père avec violence tandis que celui-ci tente de le convaincre de remonter vers la fenêtre ouverte.

— Qu'il l'abandonne! que je m'exclame malgré moi sans penser aux terribles conséquences de ma suggestion.

— Nicolas!

— Je m'excuse, ma…

— Non! Ton père! Regarde! Il… il s'est frappé contre le coin de l'armoire. Il vient de tomber au fond du véhicule.

— Et Philip qui se recroqueville de nouveau sur la banquette pour prier!

— Nicolas! Ton père ne bouge plus. Il a perdu connaissance!

5

LA FUREUR DE L'ONCLE

Dans une situation du genre, contrairement à mon cousin, je ne fige pas, au contraire! On dirait que, devant le danger, devant l'imminence de la mort, tout mon être se charge d'une furieuse énergie pour passer à l'action.

Car je suis comme ça, moi: la passivité, surtout lors de moments intenses, me rend fou. Je dois bouger!

— J'y retourne!

— Quoi? Tu es dingue! rétorque ma mère. Que peux-tu faire? Pas question que je perde mon mari et mon fils dans la même aventure. Si quelqu'un doit y aller, c'est moi.

— Écoute, maman : il y a une corde sous la banquette. Je vais la récupérer, te la lancer, tu l'attacheras à… (je regarde de tous côtés)… à ce bout de métal, ici. Une fois que tu auras terminé, je remonte avec tout le monde. C'est la seule façon de ramener papa et ce peureux de Philip.

— C'est une bonne idée, sauf que ce n'est pas toi qui iras, ce sera…

Une bourrasque plus forte lui coupe la respiration et je ne lui laisse pas le temps de reprendre :

— Je ne suis pas assez costaud, maman ! Je ne pourrais pas hisser aucun de vous avec la corde, tandis que, toi, tu peux le faire. Et, une fois qu'on sera deux sur le pont, ce sera plus facile de remonter les autres.

Elle ouvre de nouveau la bouche pour protester, ne trouve pas les mots, hésite…

J'en profite alors pour me relever, empoigner la barre de métal et me laisser retomber sur le pare-brise de Matamata.

———◆———

Je retrouve mon cousin qui, accroché au dossier de la banquette, psalmodie encore ses prières. Tout d'abord, je ressens un vif sentiment de mépris à son égard. Ceux avec qui j'ai partagé des dangers dans ma courte vie, s'ils imploraient Allah, Bouddha, Jésus ou un autre Dieu, ils ne se contentaient pas de supplier, ils agissaient également ! Tout le monde sait qu'on ne peut confier son destin à la religion seule, qu'il faut aussi y mettre du sien.

Alors, pourquoi le fils de ma tante abandonnerait-il entièrement son sort au *Almighty God*, au Dieu Tout-Puissant ?

Ensuite, notant son nez tourné vers le ciel, ses yeux clos, ses lèvres qui s'ouvrent et se referment sans arrêt, je le perçois comme un oisillon dans son nid, attendant la becquée, complètement à la merci de ses parents.

À ce moment, il me fait pitié.

Je le compare à un bébé braillard et sans défense. Il a beau jouer les adultes avec ses connaissances et sa culture, nous étourdir de son bavardage, nous éblouir de ses riches vêtements, il est incapable de faire face aux dangers.

Mon cousin a besoin des autres.

De moi.

Enfin, avant de m'occuper de lui, je dois songer à mon père. Pour rejoindre ce dernier près du lit à l'arrière, je me laisse glisser le long du plancher en pente.

— Papa ? Ça va, papa ?

— Ni… Nicolas ? répond-il en portant une main sur sa tête. Que… Bon sang ! Que fais-tu ici ?

Il se redresse en se rappelant pourquoi il se retrouve sonné au fond du véhicule. Il jette un œil noir à mon cousin en grinçant :

— Il m'a poussé quand j'ai voulu l'entraîner dehors. Je me suis frappé contre le coin de l'armoire. Je…

Tandis qu'il se remet tout à fait sur ses pieds, j'ouvre le casier sous la banquette et m'empare de la corde que je suis venu chercher. Je la brandis avec un air de triomphe.

— Je vais lancer une extrémité à maman. Elle l'attachera sur le pont et n'aura plus qu'à nous hisser les uns après les autres.

— Excellente idée ! affirme mon père en revenant vers l'avant de Matamata.

Je me tourne vers mon cousin.

— Philip ! Hé, Philip !

Il écarquille les yeux. Décoiffé, trempé, la mine hagarde… Il ne ressemble vraiment plus au petit prétentieux de la matinée.

— Voilà : on va nouer ça autour de ta taille et tu n'auras qu'à te laisser aller. Tu crois pouvoir y arriver ?

Il hoche la tête pour dire oui, mais sans regarder la corde dans mes mains.

Je ne suis pas certain qu'il ait bien compris ce qu'on attend de lui.

Les vents d'une tempête tropicale peuvent atteindre un peu plus de 115 kilomètres à l'heure. Au-delà de cette vitesse, on parle d'ouragan. Là encore, les ouragans sont divisés en cinq catégories, dont la plus forte concerne les rafales de 250 km/h et plus. Impressionnant ! Même de catégorie un, un ouragan reste un ouragan. Affronter des bourrasques à 115 km/h en équilibre sur un véhicule suspendu au-dessus d'un lac géant relève de l'exploit. Je mériterais de figurer dans un roman. Non ?

— Viens.

— Non.

— Mais, viens enfin !

— Non.

Mon père pousse un bruyant soupir. Même si mon cousin est solidement relié à la corde, que ma mère a attrapé l'extrémité que nous lui avons lancée pour l'attacher en toute sécurité sur le pont, Philip s'oppose à ce qu'on le hisse à l'extérieur.

— Tu ne cours aucun danger. Il suffit de…

— Non.

Ses refus ressemblent davantage à des plaintes qu'à des contradictions.

— Nicolas ? dit mon père.

— Quoi ?

Il fronce les sourcils.

— Qu'est-ce que c'est ce truc, à la fenêtre ?

Je me retourne, intrigué, mais avant que j'aie pu reconnaître ce qui a piqué sa curiosité, j'entends un claquement sec à travers les hurlements de la tempête.

Je reviens vers papa et Philip, et découvre que ce dernier se tient la joue pendant que mon paternel serre les dents.

— Est-ce que tu vas nous suivre, maintenant, oui ou zut ?

Les yeux arrondis du cousin semblent indiquer que, finalement, il a compris qu'il y a peut-être pour lui un danger plus grand que la tourmente : la fureur de son oncle.

Pendant qu'il se résigne enfin à sortir par l'ouverture du côté conducteur, je demande à mon père :

— Tu… tu l'as giflé ?

— Comment ?

— Tu dis toujours que la violence ne mène à rien, mais là, tu l'as… frappé ?

Il hausse les épaules en se détournant de moi.

— Pas du tout, répond-il. Tu m'as vu gifler quelqu'un, toi ?

6

AU BOUT D'UNE CORDE

Il paraît que, pendant un ouragan, les dommages les plus importants ne viennent pas nécessairement du vent lui-même, mais plutôt des débris qu'il charrie telles des tuiles, des sections de toits, des vitres, etc. Ces objets peuvent voler à plus de 100 km/h. À de pareilles vitesses, une planche de contreplaqué pourrait frapper avec une force de plus de 200 kg! Heureusement que, en équilibre au-dessus du lac Pontchartrain, nous n'avons pas à nous soucier des morceaux de maisons qui voltigent autour de nous. Il n'y en a pas de maisons!

— Tu peux y aller !

Mon père a crié vers le sommet du pont, là où nous voyons ma mère, arc-boutée contre le parapet. À deux mains, elle tire sur la corde qui, centimètre par centimètre, hisse le cousin. Ce dernier ne collabore d'aucune façon. Ni en se rattrapant à la colonne de ciment ni en cherchant à s'agripper aux tiges de métal qui dépassent un peu partout.

Ses mains sont solidement refermées sur le cordage à la hauteur de son visage, et ses yeux bien clos. Dans le mouvement frénétique de ses lèvres, je suppose qu'il continue à prier.

— À mon tour, dit papa, je vais escalader le pilier pour rejoindre ta mère et l'aider à remonter ce niai... ce pauvre Philip. Ensuite, je te retournerai la corde. Tu la mettras autour de toi de la même façon que nous l'avons fait pour lui.

— Vas-y, papa ! que je crie à travers les bourrasques. J'attendrai le câble et je vais m'en sortir, ne t'en fais pas.

Il s'attarde une seconde à me fixer droit dans les yeux. J'y lis l'immense fierté qu'il éprouve envers moi. J'en ressens une grande satisfaction. Depuis deux jours, j'avais un peu peur que, non seulement ma mère, mais aussi mon père perdent une partie de l'estime qu'ils me vouaient.

Agenouillé sur le pare-brise, les doigts serrant le grillage du capot pour me protéger des assauts de la tourmente, paupières mi-fermées à cause de la pluie, je regarde mon père s'attaquer à la structure de béton et d'acier. Il rejoint ensuite ma mère et, avec elle, achève de tirer Philip sur le pont. Aussitôt que celui-ci retrouve un plancher solide sous ses pieds, il s'écroule sur le sol. L'angle duquel j'observe la scène ne me permet pas de vérifier s'il a enfin surmonté sa peur ou s'il s'entête à prier et à geindre. Je ne le vois plus.

— Nicolas ?

À quatre pattes, mon père s'adresse à moi du rebord sectionné de la chaussée. À son côté, la tête détrempée de ma mère me fixe aussi. C'est elle qui crie :

— On t'envoie la corde, mon bébé ! Accroche-toi bien.

Je déteste quand elle m'appelle « mon bébé ».

Papa me balance le filin et je dégage une main pour l'agripper. Malheureusement, à la même seconde, une violente bourrasque, non seulement m'oblige à me raccrocher au capot, mais repousse l'extrémité du câble loin de ma portée.

Un grincement sinistre enterre aussitôt le mugissement du vent tandis que le métal de l'essieu de

Matamata pivote sur son crochet improvisé. Le soubresaut entraîne des mouvements supplémentaires à l'intérieur du véhicule. Dans l'inclinaison nouvelle adoptée par mon perchoir, j'entends le fracas d'une armoire de plus qui s'ouvre en répandant son contenu.

— Aaah ! Mon Dieu, il va tomber !

« Mais non, maman ! que je réplique intérieurement. Je suis plus résistant que ça. »

Toutefois, je dois admettre que j'ai bien failli lâcher prise. La bourrasque est arrivée avec une telle soudaineté. De plus, la pluie rend le pare-brise glissant et…

Un autre grincement suivi d'une secousse m'oblige à me plaquer contre le devant du motorisé et à me river plus solidement au grillage.

Ma mère pousse un cri d'effroi et moi, au contraire, je retiens ma respiration.

Je ne sais pas de façon exacte comment la structure du pont s'accroche au véhicule, mais une chose est certaine, après une ou deux bonnes rafales de plus, l'assemblage lâchera.

— Vite, Nicolas. Essaie encore d'attraper la corde !

Pour la deuxième fois, mon père lance le filin vers moi. Il a bien jaugé la vitesse et la direction du vent, aussi je n'ai qu'à ouvrir les doigts devant mon visage pour saisir une longueur de câble suffisante.

Toutefois, à la seconde même où je compte l'empoigner, un autre soubresaut du véhicule m'oblige de nouveau à me plaquer contre le capot. La corde passe au-dessus de mon nez sans que je ne puisse rien faire.

De plus, cette fois-là, l'assaut de la tempête contre le VR semble décisif.

Dans un crissement sinistre et un dernier tressaillement, le motorisé s'efforce de s'arracher à mes mains. J'émets un cri d'horreur qui se mêle à ceux que poussent mon père et ma mère.

Toujours à genoux sur le pare-brise, agrippé au grillage du capot, je partage le sort de Matamata qui plonge vers les eaux du lac Pontchartrain.

7

LE GRAND REFUS

Je ne connais pas de prière. Mes parents ne m'en ont jamais appris. Ils ne sont pas croyants. Surtout pas maman. Toutefois, je me demande s'ils n'auraient pas dû m'en enseigner une ou deux. Au cas où... Comme maintenant.

À l'instant où le pare-chocs arrière du motorisé s'ouvre une brèche dans les flots, le nez du véhicule se redresse. Pendant une seconde, le capot pointe droit vers le ciel, pareil à un naufragé prenant une dernière respiration avant de s'immerger tout à fait.

Je n'ai que cette seconde de jeu avant de couler à mon tour dans le sillage du VR. Au moment où il va s'abattre sur le flanc comme une baleine agonise sous le harpon du pêcheur, je canalise toute mon énergie dans mes cuisses. Puis, dans un effort démesuré, je me propulse dans les airs.

La corde, tournoyant sous les caprices du vent, revient balayer la pluie au-dessus de l'endroit où je viens de sauter. J'ai bien calculé !

Dans un ultime coup de reins, les mains élevées au-dessus de moi, à la limite même de ma portée, je parviens à refermer mes doigts sur l'extrémité du filin.

Quand je reste suspendu au-dessus des flots sans plus redescendre, je n'y crois presque pas. Mon père lui-même pousse un cri de surprise en sentant mon poids au bout du lien.

Et, tout le temps qu'il me hisse à la force de ses bras, tandis que je me retiens au cordage en espérant ne pas glisser, je l'entends prononcer d'interminables paroles incompréhensibles.

Impossible de savoir s'il s'adresse à maman ou à lui-même. Impossible de reconnaître s'il donne des directives ou s'il prie.

Encore moins s'il jure.

Nous sommes affalés tous les quatre le long du parapet. Au sommet de la section de la chaussée, nous attendons les secours. Nous sommes martelés de pluie, trempés, transis de peur...

— Mais nous sommes vivants !

Voilà ce que répète maman sans arrêt.

Elle s'est blottie entre papa et moi et tremble parfois avec force. Je ne crois pas qu'elle ait si froid. C'est sans doute que lui reviennent à l'esprit les images du danger auquel nous avons échappé.

Philip, sans la peur qui le paralyse, a recommencé à jouer au malin :

— On entend des hélicoptères, des canots à moteurs. Ne vous en faites pas, ma tante, on viendra bientôt à notre aide.

... Mais son intonation sonne trop faux pour que nous nous y laissions prendre.

Quoi qu'on en pense, il a raison. À travers les rideaux de pluie, nous distinguons les phares puissants qu'utilisent les équipes de secours pour percer l'opacité de la tempête. S'ils ne nous retrouvent pas dans cette obscurité et malgré nos cris que couvre le rugissement du vent, ils nous repéreront au matin, quand le soleil se lèvera et que la tourmente se dissipera.

Au pire, nous n'avons qu'une mauvaise nuit à passer.

— Heureusement, nous avons de bonnes assurances, dit mon père à ma mère. Pour Matamata et toutes nos choses...

— On s'en moque, on s'en moque..., murmure maman en me pressant contre elle. On a conservé notre bien le plus précieux, celui que rien ne pourrait remplacer : Nicolas.

———◆———

Je me rappelle une citation rigolote que maman m'a rapportée un jour. Elle est de Charles de Gaulle, un ancien président français : « En général, les gens intelligents ne sont pas courageux et les gens courageux ne sont pas intelligents. »
Je me trouve parfois courageux et parfois intelligent.
Est-ce que ça veut dire que je suis parfois niaiseux et parfois peureux ?
À bien y penser, même les grands politiciens peuvent affirmer n'importe quoi.

— Nicolas?

Pendant que ma mère s'est assoupie pelotonnée contre mon père, qui lui, veille en guettant le passage d'un éventuel bateau de secours, je me suis réfugié sous une étroite saillie du parapet pour me protéger de la pluie.

— Nicolas?

C'est Philip. À l'écart depuis un moment, il s'est approché de moi. Il a jeté son beau gilet, détrempé et inutile. Je constate à quel point même des vêtements à la dernière mode n'offrent pas plus de protection que les miens sous les assauts de la nature.

Je demande :

— Qu'y a-t-il?

— Je… je voudrais te remercier pour… pour ce que tu as fait pour moi, qu'il répond.

Je hausse les épaules pour signifier que ce n'est rien, sans la moindre certitude qu'il puisse bien me voir dans la pénombre.

— Nicolas, je…

Il hésite, je vois qu'il fouille dans ses poches.

— Nicolas, reprend-il, j'aimerais que tu acceptes… ceci.

Je regarde sa main tendue, mais je ne distingue rien. Je ne bouge pas de mon abri, cependant je m'informe :

— Qu'est-ce que c'est ?

— Un peu d'argent. Ce n'est pas beaucoup, mais dès que nous serons revenus chez moi, je t'en donnerai plus.

Je me redresse.

Les phares des équipes de secours, au loin, dessinent un halo lumineux autour de la tête de mon cousin. Peut-être voit-il mes pupilles, aussi je le fixe droit dans les yeux – ou, du moins, le milieu de son visage en silhouette.

Je réplique avec une voix à la fois douce, mais résolue :

— Tu sais, Philip, j'accepte toujours les cadeaux que m'offrent ceux que je croise. Toujours.

— J'en suis content.

— Mais pas le tien. Garde ton argent. Je n'en veux pas. J'apprécie les cadeaux qui viennent du cœur, pas ceux qu'on offre pour se donner bonne conscience après avoir agi bêtement.

— Qu… quoi ?

— Tu connais beaucoup de choses, Philip, mais je me demande si c'est parce que tu *t'y intéresses* vraiment, ou si ce n'est pas plutôt parce que tu aimes impressionner les autres.

Sa main est restée tendue vers moi, mais elle s'est un peu affaissée. Elle tremblote, même. Je poursuis :

— Ta grande culture, Philip, à quoi sert-elle si elle ne t'a pas appris à gérer la vie ? À quoi sert-elle si, chaque fois qu'il te faut prendre une décision importante, tu fermes les yeux en te mettant à prier ?

— Ni... Nicolas... ?

Sa voix vibre autant que sa main. Je commence à regretter mes paroles. Je suis peut-être dur avec lui. D'habitude, je me montre plus indulgent.

Mais bon, voilà deux jours que mon cousin me tombe sur les nerfs. L'occasion est trop belle de lui rendre un peu le trop-plein d'amertume qu'il a suscité en moi.

Et puis, à cause de sa bêtise, j'ai failli mourir !

— Garde ton argent, Philip. Je n'en veux surtout pas.

Et, quand je vais me recroqueviller de nouveau sous ma saillie protectrice, je découvre maman à mes côtés. Je m'attends à ce qu'elle me gronde pour mes vilaines paroles, mais elle ne dit rien. Elle se contente de m'attirer à elle pour me presser une fois de plus contre son cœur.

Philip reste muet jusqu'à ce que, au lever du jour, les équipes de secours nous repèrent au sommet de la section effondrée.

Les carnets d'un aventurier

KOUÉBEKKK?

Nous sommes dans le sud des États-Unis. Pendant que j'aide mon père à faire le plein, un jeune Américain, derrière Matamata, remarque la plaque du Québec.
— KouébeKKK? s'étonne-t-il. *Where the hell is it?*
 («Où diable cela se trouve-t-il?»)
— Canada, répond mon père.

Et là, il nous regarde avec des yeux très grands, comme si nous devions encore préciser quelque chose. Voyant que ni papa ni moi n'avons l'intention d'ajouter quoi que ce soit, il finit par répliquer, dans un sourire:
— Oh! Canada!

Et il nous fixe toujours, l'air de se dire:
— Canada? *Where the hell is it?*

Fleur de lys et salutations en français. Bienvenue en Louisiane!

Heureusement que Papa avait fait le plein. Quand on est sur le «Pontchartrain Expressway», ce n'est pas le moment de manquer d'essence!

Les carnets d'un aventurier

LOUIS... COMME DANS LOUISIANE

La Louisiane est un État au sud des États-Unis.
Elle borde le golfe du Mexique, là où se produisent
souvent des ouragans.
Lorsque René-Robert Cavelier de La Salle a pris
possession du territoire à la fin du XVIe siècle, il lui
a donné le nom de Louisiane en l'honneur du roi qui
régnait alors en France, Louis XIV. Avec les siècles,
les Espagnols puis les Anglais ont enlevé la région

Un «Poboys» à l'alligator, un mets local
très apprécié. Sincèrement, j'ai bien aimé
(même si maman avait l'air dégoûtée).

aux Français tout en la disputant aux populations autochtones qui y habitaient depuis des millénaires. Même si l'État de la Louisiane est considéré comme le plus francophone des États-Unis, une très mince portion de la population locale parle encore le français.

Des masques bizarres dans une boutique de La Nouvelle-Orléans.

« Admirez les magnifiques balcons en fer forgé. Voyez comme ils sont superbement ornés... » Le cousin Philip, il m'énerve! (Ah! je l'ai déjà dit.)

Camille Bouchard

Auteur prolifique, primé plusieurs fois pour ses romans jeunesse, Camille Bouchard est un infatigable globe-trotter qui a visité de nombreux pays en Asie, en Afrique et en Amérique du Sud. Il a exploré des sites légendaires et a dormi à la belle étoile dans la jungle, dans le désert ou au sommet des montagnes. Il a gravi des pyramides, assisté à des rites sacrés et croisé des hyènes et des serpents à sonnettes. Autant d'expériences et de souvenirs extraordinaires qui l'ont inspiré pour imaginer les premiers voyages de Nicolas...

Récemment, Camille Bouchard a entrepris un nouveau périple avec *Matamata,* le véhicule récréatif à bord duquel il sillonne l'Amérique du Nord, de la Baie-James au Mexique. C'est l'occasion pour l'auteur de plonger Nicolas dans de nouvelles aventures. Les lecteurs y découvriront des réalités sociales difficiles, des jeunes d'autres contrées, des paysages grandioses ou insolites, et avant tout, des situations hautement périlleuses.

Visite notre site Internet pour en savoir plus
sur nos auteurs, nos illustrateurs et nos collections :
dominiqueetcompagnie.com

Du même auteur

Dans la collection Roman noir
Série Les voyages de Nicolas

Danger en Thaïlande
Horreur en Égypte
Complot en Espagne
Pirates en Somalie
Trafic au Burkina Faso

Catastrophe en Guadeloupe
Terreur en Bolivie
Cauchemar en Éthiopie
Sacrilège en Inde

Dans la collection Roman rouge
Des étoiles sur notre maison
Sceau d'argent du prix du livre M. Christie 2004
Lune de miel
Les magiciens de l'arc-en-ciel
Flocons d'étoiles
Le soleil frileux

Dans la collection Roman bleu
Derrière le mur
Lauréat du prix littéraire du Festival du livre jeunesse
de Saint-Martin-de-Crau (France), 2006
Le parfum des filles

Dans la collection Grand roman
Le rôdeur du lac

Série Flibustiers du Nouveau Monde
Le trésor de l'esclave – Tome 1
Le Diable à bord – Tome 2
Le temple aux cent mille morts – Tome 3

Série Nicolas Méric
Pirates en Somalie suivi de *Catastrophe en Guadeloupe*
Furie à la Baie-James suivi de *Fusillade au Texas*

Dans la collection Grand roman
Dominique et compagnie

Série L'or des gitans
La prophétie d'Ophélia – Tome 1
Le destin de Ballanika – Tome 2
La quête de Lily – Tome 3
Elaine Arsenault

Série Le journal d'Alice
Le journal d'Alice – Tome 1
Le journal d'Alice – Lola Falbala
Le journal d'Alice – Confidences sous l'érable
Le journal d'Alice – Le Big Bang
Le journal d'Alice – La saison du Citrobulles
Sylvie Louis

Série L'Affaire Amanda
L'Affaire Amanda – Invisible – Tome 1
Stella Lennon
L'Affaire Amanda – Le signal – Tome 2
Melissa Kantor

Série Le secret des dragons
Tome 1
Dominique Demers

Le rôdeur du lac
Camille Bouchard

Effroyable Mémère à la plage
Agnès Grimaud

La classe de madame Caroline
Collectif de 11 auteurs

Nuit noire
Carole Tremblay

Série Flibustiers du Nouveau Monde
Le trésor de l'esclave – Tome 1
Le Diable à bord – Tome 2
Le temple aux cent mille morts – Tome 3
Camille Bouchard

Série Nicolas Méric
Furie à la Baie-James suivi de *Fusillade au Texas*
Pirates en Somalie suivi de *Catastrophe en Guadeloupe*
Piège au Mexique suivi de *Angoisse en Louisiane*
Camille Bouchard

Catalogage avant publication de Bibliothèque et Archives nationales
du Québec et Bibliothèque et Archives Canada

Bouchard, Camille, 1955-
Piège au Mexique ; Angoisse en Louisiane
(Nicolas Méric)
(Grand roman)
Pour les jeunes de 9 ans et plus.
ISBN 978-2-89686-432-4
I. Myotte, Alexandra. II. Titre. III. Titre: Angoisse en Louisiane.
IV. Collection: Bouchard, Camille, 1955-   . Nicolas Méric.
PS8553.O756P53 2012   jC843'.54   C2012-941535-9
PS9553.O756P53 2012

© Les éditions Héritage inc. 2012
Tous droits réservés
Dépôts légaux: 1er trimestre 2013
Bibliothèque nationale du Québec
Bibliothèque nationale du Canada
Bibliothèque nationale de France

ISBN 978-2-89686-432-4

Imprimé au Canada
10 9 8 7 6 5 4 3 2 1

Direction littéraire et artistique: Agnès Huguet
Conception graphique: Dominique Simard
Mise en pages: Danielle Dugal
Révision et correction: Danielle Patenaude
Dominique et compagnie
300, rue Arran
Saint-Lambert (Québec)
J4R 1K5 Canada
Téléphone: 514 875-0327
Télécopieur: 450 672-5448
Courriel: dominiqueetcie@editionsheritage.com
Site Internet: dominiqueetcompagnie.com

L'éditeur remercie Camille Bouchard et Nancy Bissonnette pour les photographies
qu'ils ont aimablement fournies afin d'enrichir *Les carnets d'un aventurier*.

Nous reconnaissons l'aide financière du gouvernement du Canada par l'entremise
du Fonds du livre du Canada et par le Conseil des Arts du Canada.

Nous reconnaissons l'aide financière du gouvernement du Québec par l'entremise du
Programme de crédit d'impôt – SODEC – Programme d'aide à l'édition de livres.

Achevé d'imprimer en janvier 2013
sur les presses de Payette & Simms
à Saint-Lambert (Québec)